à Catherine

avec mes amitiés
et en reconnaissance
de la confiance que
vous m'accordez.

Jacques Robin

RÉVOLUTIONNER
LES SOINS DE SANTÉ
C'EST POSSIBLE!

Jacques Beaulieu

Avec la collaboration des docteurs
Robert Ouellet et Alban Perrier

Révolutionner
les soins de santé
C'est possible!

ÉDITIONS TROIS-PISTOLES

Éditions Trois-Pistoles
31, route Nationale Est
Paroisse Notre-Dame-des-Neiges
G0L 4K0
Téléphone: 418-851-8888
Télécopieur: 418-851-8888
C. élect.: vlb2000@bellnet.ca

Saisie: Jacques Beaulieu
Conception graphique, montage et couverture : Roger Des Roches
Révision: Victor-Lévy Beaulieu
Illustration de la couverture avant: Photos.com

Les Éditions Trois-Pistoles bénéficient des programmes d'aide à la publication du Conseil des Arts du Canada, du ministère du Patrimoine (PADIÉ), de la Société de développement des entreprises culturelles du Québec (SODEC) et du programme de crédit d'impôt pour l'édition de livres du gouvernement du Québec (gestion Sodec).

EN EUROPE (COMPTOIR DE VENTES)
Librairie du Québec
30, rue Gay-Lussac
75005 Paris, France
Téléphone: 43 54 49 02
Télécopieur: 43 54 39 15

ISBN 978-2-89583-258-4
Dépôt légal: Bibliothèque et Archives nationales du Québec, 2012
Dépôt légal: Bibliothèque et Archives Canada, 2012
© Éditions Trois-Pistoles, 2012

À mon épouse, Micheline,
pour ces 45 dernières belles années.

À mes enfants, Simon, Hugues, Marie et Anne,
ainsi qu'à leurs conjointes et conjoint.

À mes petits-enfants, Camille, Léa-Jade, Albert,
Clémence, Théo et Thomas, pour le bonheur
qu'ils m'ont apporté et dans l'espoir qu'ils aient
tous accès à un système de santé fiable et performant.

Et un grand merci à mes deux collaborateurs,
les docteurs Robert Ouellet et Alban Perrier,
pour leur soutien tout au long de cette aventure.

Préface

Lorsque Jacques Beaulieu m'a demandé de collaborer à la réflexion sur la mise en place d'un organisme paragouvernemental en regard de l'organisation et de la gestion des soins de santé au Québec, j'ai été à la fois surpris et charmé de sa proposition.

Il faut dire que l'idée circule depuis plusieurs années et, pour plusieurs, elle a du sens. Là s'arrête toutefois la volonté d'en discuter et de participer à sa promotion. Pour la plupart, la démarche est trop lourde ; on craint l'opposition des décideurs actuels menant à une démarche stérile et possiblement empreinte d'hostilité.

Dans le cadre de cet ouvrage, j'ai collaboré à la réflexion entreprise par Jacques Beaulieu. L'auteur a le mérite, par ses connaissances et son expérience de base de la desserte des soins de santé, de ramener la discussion aux besoins mêmes de la population québécoise : recevoir des soins de santé adaptés et performants. Le contrat qui lie le citoyen aux décideurs et organisateurs des soins de santé doit nécessairement être édicté et orienté par le citoyen lui-même et non par les besoins des intervenants de la santé à quelques niveaux qu'ils soient. C'est un climat de coopération et de collaboration qui doit s'établir, et non celui de l'imposition de besoins corporatifs et de décisions individualistes.

Jacques, à toi maintenant de t'exprimer.

Alban Perrier M.D.

Introduction

C'était en décembre 1990. Le système d'assurance maladie du Québec avait à peine vingt ans et un coup de barre s'imposait. Nous étions au Colisée de Québec, et le ministre de la Santé, Marc-Yvan Côté, arpentait en bras de chemise le centre de la patinoire transformée en plancher de scène pour l'occasion.

«Désormais affirma-t-il, le patient, le malade, sera au cœur du système.»

L'effet fut théâtral mais, malheureusement, éphémère.

Un autre vingt ans plus tard, force est de constater que le patient est bien loin d'être au centre du système. De là, la préoccupation majeure de cet ouvrage : placer le patient à la tête du système, là où il pourra obtenir un niveau de services auquel il est en droit d'espérer. Mais nous sommes loin de la coupe aux lèvres, car le patient est le plus souvent en périphérie et tente d'entrer dans le système par n'importe quelle porte, surtout lorsqu'il a la chance d'avoir un médecin ou un fonctionnaire dans sa famille ou parmi ses amis.

Depuis plus d'une trentaine d'années, j'œuvre en communication scientifique, le plus souvent médicale. J'ai eu l'occasion de côtoyer les médecins les plus illustres, d'observer notre système dans toute sa splendeur et dans toutes ses misères. J'ai aussi été un utilisateur de ce système à l'époque où il fallait encore payer son médecin; avec l'arrivée de l'assurance maladie, j'ai pu apprécier une accessibilité toujours croissante dans les années 1970. Enfin, comme tous, j'ai dû me résoudre à assister, impuissant, à la dérive de cette accessibilité qui, depuis la fin des années 1990, fond comme neige au soleil. Pourtant je n'ai jamais cessé d'admirer ces administrateurs, ces médecins, ces infirmières, tous les autres professionnels et travailleurs qui, contre vents et marées, d'un ministre à un autre, d'une commission d'enquête à une autre, continuent à se dévouer pour nous soigner.

On dit qu'une chose en entraîne une autre. En avril 2010, dans le cadre d'un projet de livre à paraître, j'ai commencé à écrire une série d'articles constituée de biographies de médecins qui ont marqué l'histoire du Québec. C'est alors que j'eus le privilège de rencontrer le docteur Alban Perrier. Il m'avait été chaudement recommandé par le président de la FMOQ (Fédération des médecins omnipraticiens du Québec). Entre autres choses, le docteur Perrier a fondé la Polyclinique Concorde à Laval, il a été directeur des services professionnels à l'hôpital La Cité de la santé et œuvre toujours comme médecin de famille. C'est en effectuant ma recherche avant de rencontrer le docteur Perrier que je suis tombé sur un article qu'il avait écrit et qui avait été publié dans *L'Actualité médicale*[1]. Pour la première fois, je découvrais une véritable solution capable de nous sortir du marasme actuel en santé. Alban Perrier ne proposait rien de moins que de remplacer l'actuel ministère de la Santé par une société d'État. Tout au long de ce livre, nous examinerons de long en large cette solution, mais avant il convient de bien établir les prémisses qui ont initié cette réflexion.

Nous commencerons donc par une petite histoire de notre système de santé.

---

1. Le texte intégral de cet article est reproduit en annexe du présent ouvrage en page 157.

Chapitre 1
Petite histoire du système de santé québécois

« *M*ais *il y a une prémisse à tout cela: accepter de remettre en question le fonctionnement du sacro-saint système de santé québécois et le transformer en fonction d'objectifs de santé convenus socialement plutôt que seulement en fonction d'impératifs budgétaires. Le Québec est-il encore capable d'une révolution face à son ennemi de santé numéro un: le cancer[2]?* » Telle était la conclusion d'un article paru sur Cyberpresse qui s'intitulait « Le cancer de l'oncologie » et qui était signé par un oncologue du CHUM, le docteur Denis Soulières.

Bien qu'adhérant en tous points à ce désir de remettre en question le fonctionnement de notre système de santé (ce livre en est la meilleure preuve), je dois d'entrée de jeu avertir le lecteur que l'entreprise est extrêmement complexe et ce, pour plusieurs

---

2. http://www.cyberpresse.ca/opinions/201012/13/01-4351993-le-cancer-de-loncologie.php?utm_categorieinterne=trafficdrivers&utm_contenuinterne=cyberpresse_B9_place-publique_1242600_accueil_POS1 Dernière consultation le 14 décembre 2010.

raisons. D'abord, il s'agit d'un sacro-saint système comme le disait le Dr Soulières, où s'enchevêtrent autant de mythes que de dogmes qui, au fil des quarante dernières années, n'ont comme seul fondement qu'un quasi endoctrinement généralisé. Il faut aussi avouer que la plupart des intervenants, tant au niveau des diverses et multiples directions que parmi le personnel soignant, ont trouvé un arrangement qui les conforte plutôt bien. Grosso modo, il s'agit donc d'un système complexe qui fonctionne ou du moins qui fonctionnerait parfaitement s'il n'y avait pas... de malades.

Car il y a au moins deux endroits où le bât blesse particulièrement: l'accessibilité et les coûts astronomiques du système. Avant de sauter aux conclusions, il vaut la peine de se remémorer quelques moments importants de l'histoire de ce système de santé.

Un premier mythe à démolir

Premier mythe à démolir: le Québec n'est pas le créateur du système de santé que nous connaissons. Ses origines lointaines arrivent d'Angleterre, qui avait adopté un système semblable dès la fin de la Première Guerre mondiale. La Saskatchewan fut la première province à adopter et implanter au Canada ce système qui assurait un accès gratuit et universel et ce... en 1947, système sur lequel travaillait

16

Tommy Douglas, le premier ministre de cette province[3]. Le gouvernement canadien, s'inspirant de l'exemple de la Saskatchewan, adopta un programme national d'assurance santé en 1957. Le Québec emboîta le pas en 1961, en deux temps : d'abord avec son régime d'assurance hospitalisation, et en 1971, avec celui de l'assurance santé. Nous reviendrons plus en détail sur l'évolution de ces régimes. Mais observons d'abord ce qui pouvait se passer avant l'entrée en vigueur de ces assurances publiques.

L'ère de tout payer

Avant l'arrivée de l'assurance maladie, le patient devait tout payer. Chaque consultation que ce fût au cabinet du médecin ou lorsqu'il venait à la maison, était facturée ainsi que les médicaments qui, dans certains cas, étaient directement vendus par le médecin soignant. L'époque était aux familles nombreuses, et la grande dépression économique des années 1929 à 1939 limitait de beaucoup la capacité de payer, et donc d'avoir recours aux médecins pour un large pan de la population. Et si la maladie était plus grave ou si un accident survenait et qu'il fallait faire un séjour à l'hôpital, pour beaucoup, c'était la

---

3. http://www.civilization.ca/cmc/exhibitions/hist/medicare/medic-3h13f.shtml dernière consultation le 14 décembre 2010.

catastrophe. Je me souviens d'avoir assisté à une autopsie en 1973. Après avoir ouvert la boîte crânienne de la personne décédée à l'âge de 68 ans, on s'est rendu compte que son cerveau n'avait qu'un hémisphère. Une rapide enquête auprès des membres de la famille a révélé qu'à l'âge de deux ans, sa tête avait été écrasée par la charrette de la ferme remplie de foin. On l'avait ramenée dans son lit mais, faute d'argent on n'avait pu ni appeler un médecin ni, encore moins, l'amener à l'hôpital. La victime était restée ainsi inconsciente pendant plusieurs jours et était graduellement revenue à la normale par la suite. L'hémisphère droit de son jeune cerveau, ayant pu survivre à l'accident, avait pris en charge les fonctions de l'hémisphère gauche, si bien que, quasi miraculeusement, elle n'avait conservé aucune séquelle de cet accident qui aurait pu être fatal. Avant l'arrivée des régimes publics, ceux qui n'avaient pas d'argent devaient bien souvent se priver d'assistance médicale.

Autre conséquence néfaste : dans bien des cas, lorsqu'on décidait enfin d'aller consulter, la maladie avait tellement gagné de terrain que le pauvre docteur ne pouvait plus rien faire. L'argent était rare et, avant de consentir à payer un médecin, on avait essayé tous les remèdes de grand-mère qui existaient. Mouches de moutarde, emplâtres diverses, tisanes et décoctions faisaient alors partie de l'arsenal à épuiser avant d'avoir recours à la médecine officielle. Malheureusement, lorsqu'une infection grave se manifestait, ces thérapies échouaient et les plus faibles de la maisonnée, les bébés ou les vieillards, en subissaient les conséquences. Lorsqu'on appelait le médecin, ce dernier se trouvait souvent impuissant devant les complications générées par la maladie. Les mortalités infantiles étaient choses fréquentes. En fait, elles sont passées de 72,5 mortalités pour 1 000 naissances en 1935, à 41,5 en 1950 (après l'arrivée des antibiotiques) et à 5,3 en l'an 2 000[4]. Quant à l'espérance de vie moyenne, elle atteignait à peine 60 ans dans les années 1920[5] alors qu'elle dépasse les 80 ans de nos jours.

Et pour le médecin

Bien des choses ont aussi changé pour le médecin. Avant l'arrivée de l'assurance maladie, le médecin de famille était celui qui voyait au bien-être des membres d'une famille, de la naissance au décès. Les tuteurs du milieu familial (en général le père et la mère), ou pour le moins, ceux qui en avaient les moyens financiers, le consultaient à tout événement et le médecin s'obligeait à une réponse diligente et responsable. Il se reconnaissait dans ces

4. http://www.statcan.gc.ca/pub/12-581-x/2010000/c-g/desc/desc-c-g4-fra.htm dernière consultation le 14 décembre 2010.
5. http://www40.statcan.ca/l02/cst01/health26-fra.htm dernière consultation le 14 décembre 2010.

gestes qui assuraient le bien-être d'une famille et trouvait sa gratification dans la satisfaction de celle-ci. Ce rôle fut très bien illustré par une série américaine intitulée *Marcus Welby MD,* où le bon et prévenant docteur venait en aide aux familles de son patelin avec courage, empressement et dévouement. Mais en dehors de cette version télévisuelle et, disons-le, idyllique, de la vie d'un médecin à l'aube des années 1960, la réalité était bien différente.

J'eus l'occasion de participer à l'écriture du livre du Dr Augustin Roy. Celui-ci me racontait les débuts de sa carrière vers la fin des années 1940 en ces termes :

« À l'époque, il fallait s'installer là où il y avait de la place. On ne pouvait pas ouvrir son cabinet n'importe où, car s'il y avait d'autres médecins en place, on risquait fort de ne pas trouver suffisamment de patients. J'avais alors entendu parler d'un médecin qui devait cesser sa pratique en raison de son âge à Notre-Dame-du-Nord, une petite municipalité près de Ville-Marie, en Abitibi-Témiscamingue, l'autre bout du monde pour moi qui venais de la Beauce. Après quelques jours de conduite, j'arrivai finalement à destination où mon premier patient m'attendait. Il venait pour se faire extraire une dent. C'est ainsi que je fis mon premier 50 sous à titre professionnel. Mais j'étais content. À l'époque, les salles d'attente des bureaux de médecins étaient la plupart du temps vides. De plus, il fallait faire ses preuves et établir sa crédibilité. Le premier et plus grand test était souvent un premier accouchement. Un médecin qui ratait son premier accouchement ou qui, par malheur, tombait sur un cas difficile était aussi bien de fermer boutique et d'aller s'installer assez loin pour se faire oublier. Se monter une clientèle n'était pas une mince affaire.»

Outre ce premier problème, plusieurs autres étaient inhérents à la fonction médicale de l'époque. Ainsi les paiements des honoraires étaient souvent difficiles à percevoir et la liste des mauvaises créances pouvait excéder les 25 % à 35 % de la clientèle. Dans certaines régions plus pauvres, ces mauvaises créances pouvaient approcher la moitié des honoraires attendus du médecin. À preuve, voici ce que me racontait encore le Dr Augustin Roy :

«Le lundi 11 mars 1963, je fais donc mon entrée au Collège des médecins du Québec. Une pile de plaintes m'attendait. À l'époque, 95 % des plaintes concernaient les honoraires des médecins. Le cas type : un spécialiste avait chargé à un patient 5 $ pour une consultation, d'autres fois 10 $! Dans ces cas, je faisais affaire avec une agence de crédit qui m'informait sur la capacité de payer de ces patients. Quand je voyais qu'il s'agissait de gens vraiment pauvres, j'appelais personnellement le médecin et je lui demandais d'annuler le compte ou pour ceux qui étaient un peu moins pauvres de diminuer la facture. L'autre grand problème venait du fait que certains médecins engageaient des agences de collection pour tenter de récupérer les comptes impayés. Il y a eu des saisies, j'en ai été témoin. Je présentais devant un comité de conciliation les dossiers qui ne se réglaient pas à l'amiable. Souvent, le médecin était appelé à se présenter devant ce comité. Je me souviens d'un chirurgien qui a été appelé ainsi à se présenter parce qu'on recevait beaucoup de plaintes dues à son agence de collection. Un des médecins du comité travaillait au même hôpital que lui et l'avait engueulé comme du poisson pourri pour qu'il cesse ces pratiques envers des patients qui n'avaient pas la capacité de payer. Il s'était quelque peu attendri, d'autant plus qu'il avait vu sa clientèle diminuer. Sa réputation comme étant dur quant à la collection s'était répandue parmi ses patients dont plusieurs avaient décidé de consulter un autre spécialiste. La contestation de la qualité des actes médicaux ne faisait pas partie des mœurs. La majeure partie des plaintes se réglait à l'amiable.»

Avant l'arrivée de l'assurance maladie, la médecine était considérée avant tout comme une vocation, au même titre que l'entrée en religion ou dans le domaine de l'enseignement. Cette «vocation» imposait donc au médecin une obligation de service, de générosité et de dévouement propres à l'époque.

Patients et médecins frustrés

En résumé, ceux qui parlent du bon vieux temps ne doivent certainement pas faire allusion au système de santé d'alors. D'une part, seuls les patients bien nantis pouvaient avoir accès à des soins médicaux et, d'autre part, les médecins devaient courir après leurs honoraires et bien souvent perdaient entre le tiers et la moitié de leurs revenus en comptes impayés. Le Dr Perrier me disait justement:

« Il faut se souvenir de monsieur Lafortune, en 1962, qui devait débourser de ses poches les frais encourus pour rencontrer un médecin, acheter des médicaments, se prévaloir d'examens diagnostiques et thérapeutiques, séjourner en milieu hospitalier pour une maladie grave, une chirurgie ou un *check-up* qui pouvait s'éterniser d'une à deux semaines alors que son épouse donnait naissance à son enfant à domicile, faute de moyens financiers, ou à l'hôpital, aux frais de la famille. Il faut se souvenir du docteur Tranche-montagne qui attendait ses patients en cabinet, qui se déplaçait à toute heure du jour et de la nuit à la moindre demande, qui chargeait des honoraires sans assurance de paiement et qui devait utiliser des agences de collection pour tenter de recevoir de 30% à 50% des sommes prévues. Il faut aussi se souvenir du peu de moyens à la disposition du docteur pour l'aider à effectuer un diagnostic fiable et une thérapie adaptée à la situation du malade afin de lui assurer une survie optimale. Nous sommes encore bien loin des résonances magnétiques et des pontages coronariens.»

Voilà qui résume fort bien l'état de la situation de ces années avant que l'État québécois n'établisse l'assurance maladie.

Un premier pas : l'entrée en vigueur de l'assurance hospitalisation

À titre informatif, le Québec est loin de faire figure de pionnier en la matière. En effet dès le premier juillet 1958, le gouvernement fédéral avait mis sur pied son régime d'assurance hospitalisation avec sa Loi sur l'assurance hospitalisation et les services diagnostiques où il s'engageait à payer 50% des coûts des régimes provinciaux et territoriaux. La même année, le Manitoba, Terre-Neuve, l'Alberta et la Colombie-Britannique mettent sur pied un régime d'assurance hospitalisation selon la formule du partage des coûts avec le gouvernement fédéral. L'année suivante, soit en 1959, l'Ontario, le Nouveau-Brunswick, la Nouvelle-Écosse et l'Île-du-Prince-Édouard joignent les rangs. En 1960, c'est au tour du Yukon et des Territoires du Nord-Ouest de se rallier. Le Québec arrive donc bon dernier dans ce processus, en 1961. Au même moment, le Canada crée une commission royale d'enquête en vue de mettre sur pied un système d'assurance santé. C'est la Commission Hall, du nom de son président, Hemmet H. Hall.

Au Québec, les années 1960 donnent naissance à ce que nous avons nommé la Révolution tranquille, terme que l'on doit à un journaliste du *Globe and Mail* de Toronto qui parla de *Quiet Revolution*[6]. Mais le Québec n'était pas le seul : partout dans le monde industrialisé, on profitait du boom économique de l'après-guerre. Aux États-Unis, l'expression consacrée était : *Sky is the limit.* Au Québec, c'était la naissance de l'État-providence dont les revenus ne connaîtraient jamais de limites !

De 1961 à 1966, le programme d'assurance hospitalisation s'élargit pour couvrir les services d'urgence, la physiothérapie, les services sociaux et autres, offerts en milieu hospitalier. Le Québec accorde en 1966 la gratuité des soins de santé aux assistés sociaux. La même année, le gouvernement fédéral adopte son programme d'assurance maladie où, cette fois encore, il offre d'en partager la moitié des coûts avec les provinces qui y adhèrent ; c'est le régime universel d'assurance maladie. Le Québec s'y joindra cinq ans plus tard, soit en 1971.

L'assurance hospitalisation avait soulagé une bonne partie de la population qui autrefois devait s'endetter considérablement si un membre de la fa-

---

6. http://faculty.marianopolis.edu/c.belanger/quebechistory/events/ quiet.htm ; http://fr.wikipedia.org/wiki/R%C3%A9volution_tranquille dernière consultation le 14 décembre 2010.

mille devait être hospitalisé. Je me souviens qu'en 1969, à la naissance de mon premier garçon, j'avais défrayé notre médecin de famille pour les visites prénatales et l'accouchement, mais les services hospitaliers avaient été gratuits. À l'époque, j'avais reçu quelques mois après l'accouchement un état de compte qui m'indiquait combien l'assurance hospitalisation avait eu à payer pour le séjour de mon épouse à l'hôpital. Quant aux frais médicaux, la facture avait été de 350 $. Cela représentait à l'époque près de 3 semaines de mon salaire comme technologiste médical. C'était quand même une bonne somme.

Les années 1970 : l'expansion tous azimuts

À la suite du rapport Castonguay, le Québec avait adopté un système de santé public, gratuit, accessible et universel. C'est là que fit son apparition notre carte d'assurance maladie aussi appelée « carte soleil » ou encore la « castonguette ».

Contrairement à ce que l'on peut penser aujourd'hui, les gens ne se ruaient pas aux bureaux de leurs médecins ou dans les urgences des hôpitaux parce que c'était devenu gratuit. Bien des habitudes devaient être changées, dont celle d'attendre à la dernière minute avant de consulter. Fort de ce succès sur le plan sanitaire et social, la Régie de l'assurance maladie étendit ses services gratuits à bien d'autres domaines comme les examens en optométrie (1971), les soins dentaires aux enfants (1974), un programme de remboursement des prothèses (1975) et la gratuité des médicaments pour les personnes âgées (1977). Bien sûr, une partie de ces programmes seront désassurés en totalité ou en partie dès les années 1980. Par exemple, dès 1982, les soins dentaires pour les enfants de 13 à 15 ans ne seront plus couverts.

Un acquis majeur, essentiel, incontournable

L'existence du régime d'assurance maladie du Québec et sa continuation ne sauraient être mises en question. Nul ne veut ni ne peut revenir à la situation d'avant les années 1960 et l'établissement de ces assurances publiques. Voici d'ailleurs quelques chiffres fort éloquents sur l'utilisation du système de santé au Québec tels que présentés sur le site de la Régie de l'assurance maladie du Québec.

HIER ET AUJOURD'HUI[7]
Au début des années 1970, la Régie, c'est...
* Plus de 4 millions de personnes inscrites au régime d'assurance maladie;

---

7. http://www.ramq.gouv.qc.ca/fr/regie/historique/hier_auj.shtml dernière consultation le 14 décembre 2010.

- 10 000 professionnels de la santé rémunérés par la Régie;
- 17 millions de demandes de paiement soumises par les professionnels de la santé, dans la première année;
- 3 programmes administrés (services médicaux, services optométriques (sic) et chirurgie buccale).

Aujourd'hui, la Régie, c'est...
- 8 millions de personnes couvertes par le régime d'assurance maladie, dont 3,3 millions sont aussi couvertes par le régime public d'assurance médicaments;
- Plus de 33 000 professionnels de la santé, et quelque 2 000 dispensateurs de services, rémunérés par la Régie;
- Plus de 217 millions de demandes de paiement soumises annuellement par les professionnels de la santé;
- Une quarantaine de programmes.

Nous voyons donc que les pressions exercées sur notre système de santé ont littéralement explosé en quarante ans. Quant aux budgets, eux aussi ont connu une croissance gargantuesque. Alors que la RAMQ affichait des bénéfices (vous avez bien lu: des bénéfices) d'opération en 1971, un an après l'implantation du régime, elle représente aujourd'hui tout près de la moitié des dépenses de la province (près de 28 milliards sur un budget global de 62 milliards de dollars, budget 2010-2011). Par ailleurs, le gouvernement fédéral qui finançait à hauteur de 50% les programmes de santé aux débuts des années 1970 a baissé sa contribution dès 1991 à moins de 25%[8].

Dans le prochain chapitre, nous nous pencherons sur ce que nous devons garder parmi les actifs de notre système de santé et ce que nous devrons… changer.

8. http ://www.espacecsb.com/wiki/MIEUX_CONNA%C3%8ETRE_8 :_L'assurance_maladie_au_Qu%C3%A9bec#Br.C3.A8ve_histoire_de_l.E2.80.99assurance_maladie dernière consultation le 14 décembre 2010.

Chapitre 2
Les acquis

L es principes qui ont prévalu à la mise en place de notre système de santé ont été excellents, et ne devraient pas être changés. Ainsi, avant de se mettre à sabrer un peu partout, il convient de bien savoir ce à quoi il ne faut pas toucher.

Présentement, nous avons l'impression que les changements ou les modifications au système se font au gré de l'opinion publique, des groupes de pression ou des divers syndicats et associations. Un scandale survient dans un CHSLD (Centre hospitalier de soins de longue durée), vite mettons en place une brigade de surveillance qui visitera ces centres... après, bien entendu, un préavis de 3 jours. Quelqu'un déclare qu'il manque de spécialistes dans tel ou tel domaine, vite on ouvre les portes de l'université et quelques années plus tard, cette nouvelle cohorte quitte l'école et se fait dire d'attendre car, pour l'instant, il n'y a pas d'emploi dans leur spécialité. Il y a cinq ans, le ministre affirmait que les listes d'attente étaient causées par un manque de médecins, le gouvernement précédent ayant trop coupé dans les effectifs pour atteindre le fameux déficit zéro, alors qu'aujourd'hui, les listes d'attentes n'ont pas fondu, tel que promis et «repromis». «C'est au Québec que l'on compte le plus de docteurs par tête de pipe. Plus de 20% que la moyenne canadienne. Et c'est ici que l'on compte le plus de personnes sans médecin de famille: 30% nous dit-on[9]», comme nous l'affirme M. Gérald Larose dans un article intitulé «Système de santé: Dr Toyota???» À voir le nombre de personnes inscrites sur les listes d'appel des hôpitaux, nous pourrions effectivement croire que la plupart des Québécois malades se retrouveront bientôt à l'exemple des Toyota sur une liste de rappel... C'est un des côtés de la médaille. La cible de correction était-elle alors l'augmentation du nombre de professionnels ou un problème d'organisation des soins?

Séparer le bon grain de l'ivraie

L'autre côté de la médaille est qu'au Québec, personne ne peut se faire refuser des soins parce qu'il n'a pas les moyens financiers. Et ça, c'est une réussite éclatante par rapport à ce qui prévalait avant la naissance du régime d'assurance maladie. Un autre succès du système actuel est que nul n'est acculé à la faillite si, par malheur, lui-même, ou un membre de

---

9. http://larose.branchez-vous.com/2010/12/systeme-de-sante-ca-demeure-un-mystere.html.

sa famille, est victime d'une maladie grave. Anciennement, comme nous l'avons démontré, plusieurs se ruinaient littéralement en frais médicaux et d'hospitalisation. Mon père gagnait un salaire supérieur à la moyenne à l'époque, pourtant nous n'avons jamais vécu richement. Ma mère avait une santé fragile, et le nombre de fois qu'elle a dû faire des séjours de plusieurs semaines à l'hôpital ne se comptait plus. C'était connu et admis par toute la famille : « Pauvre Stan (diminutif de Stanislas), disait-on, sa femme était toujours malade. Il pouvait bien tirer le diable par la queue. »

Donc en ce qui concerne la gratuité, nous demeurons tous d'accord, il serait impensable de revenir à l'époque d'avant la RAMQ. Pourtant, il faut noter que de plus en plus cette gratuité s'effrite. Le système privé dicte ses propres règles et une fois admises, celles-ci déteignent sur le système public qui y voit des occasions de plus en plus multiples de désassurer certains services sous le prétexte qu'ils sont désormais disponibles au privé. Nous y reviendrons.

L'autre grand principe est l'accessibilité. Tout citoyen devrait avoir accès à des soins de santé reconnus adéquats. Avant l'assurance maladie, cette accessibilité était fortement influencée par la capacité de payer mais, depuis plusieurs années maintenant, l'accessibilité est lourdement minée par la disponibilité des services. Peut-on encore parler d'accessibilité quand plus du tiers des citoyens n'ont pas de médecin de famille? Quand il faut attendre de 8 à 24 mois pour une chirurgie? Que le patient doit se résoudre à passer de 12 à 24 heures dans une salle d'urgence avant d'être vu par un médecin?

Finalement, le troisième principe est l'universalité. Le système doit garantir à tous, tous les soins de santé et ce, de la naissance au décès. Cette générosité du système est à l'origine de bien des excès et aussi de beaucoup de gaspillage. Selon le dictionnaire, la générosité est une disposition à donner largement, sans compter. Malheureusement, dans la réalité quotidienne, il faudrait des ressources infinies pour pouvoir donner sans compter. Alors, puisqu'il faut compter, arrive un jour où on doive faire des choix.

J'eus l'occasion de rencontrer un très grand médecin québécois âgé de plus de 90 ans dont je tairai volontairement le nom par respect. À l'âge de 88 ans, ce spécialiste fut amené à l'urgence d'un hôpital. Il venait de subir un grave AVC (accident vasculaire cérébral). Compte tenu de son âge avancé, l'attitude des médecins présents était de laisser le malade s'éteindre paisiblement. Une des plus vieilles infirmières le reconnut enfin et dit aux médecins en place que ce patient était en fait le Dr Untel qui avait dirigé, pendant des années, divers services à l'hôpital, et qui était mondialement reconnu pour sa compétence. Immédiatement, ce patient eut droit aux grandes attentions. Il fut amené tout de go en salle de chirurgie et fut opéré au cerveau. L'AVC fut maîtrisé et le bon docteur survécut. Il dut se résigner à plusieurs mois de réhabilitation et, lorsque je l'ai interviewé 5 ou 6 ans après cet événement, il m'a avoué : « Si cette infirmière ne m'avait pas reconnu, je serais très certainement mort. J'ai eu droit à ce que la majorité des autres patients de mon âge ou même plus jeunes n'auraient pas eu accès. » J'ai senti beaucoup de tristesse dans cet homme lorsqu'il me racontait cette histoire. Le brave docteur eut droit à l'universalité des services en raison de son passé et de sa réputation. Mais qu'en est-il lorsqu'un individu n'a pas droit à cette universalité parce que l'État ne dispose plus des budgets suffisants ? Lorsque des chirurgies sont retardées parce que l'hôpital ne peut développer ses capacités opératoires, parce qu'elle ne peut pas faire de déficit et parce que ses budgets sont déjà épuisés ? Peut-on encore parler d'universalité ?

Cependant, est-ce pertinent de prescrire une ou deux tomographies cérébrales chez un patient atteint de la maladie d'Alzheimer ? Est-ce pertinent de répéter des examens qui ont été faits quelques jours plus tôt dans un autre milieu ? Est-ce pertinent de prescrire des médicaments contre le cholestérol à un patient de quatre-vingts ans atteint d'une maladie incurable ? Est-ce pertinent de faire de l'hémodialyse à un patient dont la qualité de vie est par ailleurs nulle ou presque ?

Comme nous le constatons, les trois grands principes ayant régi la mise en place de notre système de santé, l'accessibilité aux soins, leur gratuité et leur universalité sont fortement ébranlés. Il faut donc un coup de barre majeur, pas un simple remaniement, ni l'ajout de nouvelles structures. Il faut une vision nouvelle et un nouveau départ. Il faut véritablement transformer le système de santé.

Mais avant, définissons les tâches de dix aspects particuliers de ce système: le médecin de famille, le privé, le spécialiste, les autres professionnels de la santé, l'administrateur, l'accès aux services, les services communautaires, la prévention et la régionalisation.

1) Le médecin de famille

Le titre, médecin de famille, révèle d'emblée la notion et le rôle de ses activités professionnelles. Il a été dans les années passées celui qui voyait au bien-être, en matière de santé, des membres d'une famille de leur naissance à leur décès. Avec l'augmentation des besoins de chacun des membres d'une famille et l'éclatement des familles traditionnelles, le médecin a vu son rôle se transformer. Désormais, il traiterait de moins en moins de familles mais surtout des individus.

Il est donc devenu, par la force des choses, un médecin de première ligne et ce, nonobstant l'impact sur le milieu familial. Comme me le soulignait le docteur Perrier, il n'est cependant pas insensible à ce besoin, mais il se sent incapable d'y répondre adéquatement faute de temps et d'accès à des ressources techniques. Il doit même se résoudre à limiter sa clientèle s'il veut consacrer un temps raisonnable à chacun de ses patients, ou il doit écourter le temps de consultation s'il veut répondre aux demandes grandissantes.

D'autres l'ont rapporté : il serait étonnant que le Québec manque de médecins de famille, qui affichait un des plus hauts ratios médecin/population au pays. Ce qui fait défaut, c'est l'organisation des activités, l'isolement dans le système de santé, le manque d'accès à des technologies tant diagnostiques que thérapeutiques et informationnelles.

Comme médecin de première ligne, le médecin de famille est celui qui fournira l'autorisation nécessaire au patient s'il doit consulter un médecin spécialiste.

Il demeure le seul responsable de la continuité et des résultats des soins qu'il prodigue. Lorsque nos jeunes médecins sortent de l'université, sont-ils préparés à vivre cet isolement au quotidien ? Nous en doutons, tout comme eux d'ailleurs.

De plus, le médecin de famille devra conjuguer avec une absence de ressources diagnostiques et thérapeutiques, ressources pourtant nécessaires pour satisfaire aux besoins de sa clientèle. Peu de solutions se présentent. Ou bien il informe son patient qu'il devra attendre de 4 à 8 mois pour passer une échographie, un *scan* ou même une simple consultation avec un spécialiste, ou bien il l'oriente vers l'urgence d'un hôpital où il aura peut-être accès à ces services plus rapidement. Il peut aussi faire jouer son réseau personnel de connaissances auprès de spécialistes, mais ne pourra exercer ce privilège que très occasionnellement, et encore qu'avec la quasi-certitude d'une pathologie importante, sinon il sera considéré comme abuseur du système. En conséquence, il reverra le même patient à de multiples reprises tant qu'il n'aura pas été en mesure d'établir un diagnostic ou d'ajuster une thérapie. Finalement, l'autre solution de plus en plus à l'ordre du jour consiste à référer le patient « au privé » où ce dernier aura à payer de sa poche les services requis à la condition que sa maladie ne soit pas trop sévère et ne conduise pas à des complications nécessitant des interventions plus poussées. De la première à la dernière de ces solutions, chacune apporte son bagage de frustrations pour le patient ; aucune ne serait acceptable dans un système de santé bien organisé.

Un autre rôle du médecin de famille est de donner suite aux consultations en informant le patient des résultats, de faire un suivi de ces examens : il est donc responsable de la satisfaction du patient. Cette démarche n'est certainement pas étrangère au fait que de plus en plus de médecins de famille orientent leur pratique vers les cliniques sans rendez-vous ou des activités à des clientèles bien ciblées (urgence, soins palliatifs, etc.).

Le nouveau médecin de famille doit se soumettre aux activités régionales définies dans les AMP (activités médicales particulières). Elles peuvent comprendre des heures consacrées à l'urgence d'un hôpital de la région ou encore dans un CHSLD. Dès la première année de sa pratique, les orientations de sa carrière sont donc définies et vont vers moins d'implication en médecine de famille et davantage en AMP. Ces activités particulières sont établies par le DRMG (Département régional de médecine générale). Le médecin qui ne veut pas participer à ces activités verra sa rémunération réduite de 30 %.

La rémunération, puisqu'on en parle, joue de nos jours un rôle de premier plan quant à l'orientation des médecins. Le médecin de famille ne perçoit pas sa juste part quant à l'ensemble du corps médical. En conséquence, le choix d'une orientation sera souvent fait en fonction des revenus anticipés et des conditions de travail. Le médecin est au même titre que tous les membres de la société tributaire des valeurs sociales comme le confort, l'amélioration de la qualité de vie, la vie familiale, etc. Sa clientèle doit donc attendre au lendemain lorsqu'elle désire des services, ce qui alourdit encore le fardeau du médecin. Pour la personne qui travaille durant la journée, comment rejoindre son médecin ? Elle se tournera alors vers les cliniques sans rendez-vous ou vers les urgences, toutes deux étant difficiles d'accès parce que devenues les solutions de rechange de trop de personnes.

C'est ainsi que les cliniques sans rendez-vous se multiplient au Québec et plus spécialement dans les régions urbaines ou en banlieue. C'est le palliatif au prétendu manque d'effectifs médicaux, mais surtout à l'impossibilité de parler à son médecin et à celle d'obtenir un rendez-vous dans un délai jugé acceptable. C'est ainsi que 30 % de la population se retrouve sans médecin de famille et que de 30 % à 50 % de ceux qui en ont un ne peuvent pas le consulter à court terme. Les cliniques sans rendez-vous et les salles d'urgence des hôpitaux deviennent les portes d'entrée dans le système de santé, une porte qui, admettons-le, est de plus en plus fermée. Mais les patients n'ont pas d'autres choix.

La clinique sans rendez-vous est souvent elle-même débordée et est la source de bien des irritants pour sa clientèle trop nombreuse :

- Attente de plusieurs heures avant d'être vu (jusqu'à cinq heures souvent);
- Obligation de se présenter de très bonne heure le matin afin de pouvoir s'inscrire sur la liste «limitée» de ceux qui seront vus;
- Possibilité de se voir refuser l'accès à cause d'un temps d'attente trop long et des horaires parfois limités;
- Obligation d'être évalué pour un seul ou tout au plus deux problèmes de santé et non sur sa santé en général.

Celui qui ne veut ou ne peut se soumettre à ces règles de fonctionnement doit alors se rabattre sur la dernière solution : l'urgence d'un hôpital. Bien sûr, il devra alors attendre d'interminables heures. On a signalé jusqu'à 16 ou même 24 heures d'attente à certains endroits. Il faut réaliser que ces urgences sont conçues pour répondre à des besoins dont les priorités sont bien différentes. Mais ont-elles le choix ? Malgré un triage des plus structuré et efficace, elles ne peuvent pas refuser cette clientèle qui ne sait plus vers où se diriger pour obtenir des soins au moment voulu.

La formation du médecin de famille

Après cinq années d'université, le médecin de famille devra compléter un stage de deux ans de résidence avant d'être reconnu comme tel. Cette formation se fait en majorité en milieu hospitalier avec un encadrement bien peu représentatif de ce que fera le médecin de famille à son cabinet. Lorsque le jeune médecin pratique un stage en milieu hospitalier, il perçoit rapidement le gouffre qui sépare sa résidence du vécu quotidien d'un médecin de famille. C'est là qu'il sera confronté à l'isolement, le manque de ressources techniques diagnostiques et thérapeutiques, les horaires dont nous avons parlé et les coûts engendrés en cabinet. Il fut une époque où le médecin sortait de l'université et commençait immédiatement sa pratique. Sa clientèle devait faire preuve d'une indulgence certaine envers leur jeune médecin, et celui-ci bénéficiait d'une certaine reconnaissance à l'erreur. Les patients devenaient donc les formateurs privilégiés du médecin et y souscrivaient entièrement.

De nos jours, le patient est devenu anonyme et le médecin s'est transformé en technicien de la santé. Il demande des examens multiples et répétés pour s'assurer d'un diagnostic fiable quasi exigé par le système.

Autre mythe qu'il faut abolir : la féminisation de la médecine comme cause du manque d'accessibilité. Aujourd'hui, tant les hommes que les femmes ne veulent se résoudre à des horaires de 72 heures par semaine de travail. La qualité de vie, les heures passées en famille deviennent aussi des objectifs pour les médecins comme pour tous les autres professionnels de la société. Certains médecins travaillent encore en heures excédentaires, mais pourraient-ils faire la différence ? Ils sont bien trop peu nombreux pour corriger un tant soit peu les problèmes du système. Il n'y aura pas de retour au passé, il faudra que le système s'adapte à ces nouvelles réalités.

2) Le privé

Plusieurs considèrent que l'arrivée du « privé » en santé décongestionnera le système et réduira les coûts. Il s'agit certes d'un argument plausible mais qui, dans une société démocratique et socialisante, ne tient pas la route.

Rappelons d'abord que les contribuables québécois dépensent à ce jour plus de 28 milliards de dollars pour leur système de santé. Chaque individu paie donc déjà pour des soins dont les balises sont établies par le gouvernement selon un standard qui trop souvent est loin de répondre aux aspirations individuelles. Un simple calcul nous révèle qu'en divisant le coût total, soit 28 milliards de dollars, par le nombre d'individu, 7 millions, nous obtenons le coût individuel du système de santé québécois : 3 857,14 $.

Cette gymnastique nous ouvre la porte sur les coûts que défraieraient les contribuables pour avoir accès au privé. Considérant la nature humaine qui exige toujours davantage pour sa qualité de vie, il est à prévoir que ces coûts n'iront qu'en s'accroissant. Le problème est que ces coûts qui iront au privé ne diminueront en rien la facture du public, car celui-ci devra continuer à offrir les services actuels. Ces frais s'ajouteront aux coûts que paient les patients qui y auront recours. Si vous vous abonnez à un service médical privé au coût de 1 500 $ par année (comme certaines cliniques vous offrent présentement), vous paierez réellement 5 357,14 $ annuellement pour vos soins de santé (votre contribution au système public à même vos impôts et celle au système privé).

Qui plus est : cet ajout d'un système privé ne fait qu'étirer la survie du système actuel, car au lieu de repenser nos stratégies en santé, nous prolongeons le statu quo en permettant une extension des coûts. De plus, cette déréglementation des soins risque fort de conduire à une situation pire que celle que nous

connaissons actuellement. Tant que moins de 2 %
des activités de santé sont orientées vers le privé, il
n'y a pas de problème. Mais lorsque ce pourcentage
atteindra les 15 % à 20 %, le système de santé avec
ses objectifs actuels n'existera plus. La gratuité, même
si elle n'existe pas réellement, coûtera très cher.
L'accessibilité sera individualisée, et l'universalité
brillera par son absence. Quoi faire alors du privé ?
Car, il faut bien l'admettre, c'est là une avenue in-
discutable si nous ne reprenons pas en main notre
système de santé.

Les artisans du privé y travaillent pour trois raisons principales :

- Palier les déficiences du système actuel ;
- Se soustraire aux règles de société établie par le
  système ;
- Augmenter leurs revenus financiers sans pour
  autant contribuer au système public.

Comme il est impossible à ce jour d'ignorer l'épa-
nouissement du privé, il y a lieu de croire qu'un
arrangement qu'on espère raisonnable se conclue
entre le système public et le privé. Le plus souhaitable serait que le système de santé public établisse
des relations d'affaires avec le privé, ce qui serait au
bénéfice des deux parties. Mais il serait quasi impossible pour un gouvernement d'y arriver. Seul un
organisme libre d'attache politique et axé sur la production de soins rentables et évolutifs pourrait s'unir
avec des partenaires privés pour des services choisis.
Certaines tentatives existent déjà afin d'améliorer

l'accessibilité aux soins. Ainsi, des déréglementations ont été conclues avec certaines cliniques privées pour effectuer des chirurgies du cancer du sein par exemple. L'hôpital qui a conclu de telles ententes a vu sa liste d'attente pour ces chirurgies fondre comme neige au soleil. Le privé est beaucoup plus productif que le public et cela se comprend aisément : il n'a pas à supporter une mission sociale ; il n'a qu'à fournir des services.

Au Québec, il y a une volonté du privé de collaborer avec le gouvernement. Mais il hésite aussi à souscrire à des politiques à court terme sans garantie de réciprocité. Dans un avenir rapproché, le système public devra s'orienter vers une politique de santé *d'affaires*, alors que le privé devra s'adapter à une politique de visée sociale. Le jumelage des deux parties aboutira alors inévitablement à une amélioration des soins de santé.

3) Le médecin spécialiste

Le spécialiste est celui qui oriente sa pratique médicale vers des services adaptés à une pathologie relativement spécifique. Autrefois, il était moins fréquent de consulter un spécialiste ; ses honoraires plus élevés que celui de l'omnipraticien en décourageaient plus d'un. On aurait cru qu'avec l'arrivée de l'assurance maladie, il serait plus facile d'obtenir des soins auprès des spécialistes, mais tout comme pour le médecin de famille, plusieurs facteurs sont intervenus, et l'accessibilité aux spécialistes est devenue tout aussi difficile. Avec le nombre grandissant des technologies de pointe et l'essor faramineux des connaissances, le spécialiste doit orienter sa carrière dans des domaines de plus en plus pointus. Ce faisant, sa formation est très circonscrite et son engagement dans un établissement doit répondre aux besoins spécifiques, technologiques et aux budgets de son employeur. C'est pourquoi on peut assister à des aberrations fort surprenantes. Ainsi dans une période où tous décrient le manque de spécialistes, des finissants en diverses spécialités ne trouvent pas d'emploi dans les établissements et lieux de pratique conventionnels.

En somme, le spécialiste est le plus souvent inaccessible autrement que par la nécessité de la salle d'urgence d'un hôpital ou par l'intervention personnelle d'un autre médecin. C'est que nous sommes témoins d'utilisations inappropriées des services des spécialistes. Parmi celles-ci, notons :

- Des demandes de consultations inutiles par l'omnipraticien pour toutes sortes de raisons (limite de connaissances de base, incapacité d'utiliser des ressources techniques pour appuyer son diagnostic, crainte d'erreur de diagnostic, etc.) ;
- Un accès privilégié aux services techniques et aux ressources humaines. Ainsi si les omnipraticiens avaient un accès égal à ces mêmes services, ils pourraient traiter plus de patients plus

rapidement, et dégager les spécialistes de ces consultations inappropriées;

- Les problèmes d'accès au médecin de famille forcent les spécialistes à jouer le rôle de ces derniers et à traiter des patients qui pourraient être suivis par des médecins de famille;
- La concentration des spécialistes en milieu urbain crée des pénuries artificielles dans certaines régions. Nous disons *artificielles,* car ces pénuries n'existeraient pas avec une meilleure répartition des effectifs actuels et futurs, ou une organisation visant à un transfert rapide d'intervention;
- Certaines raisons inhérentes à l'organisation des services (manque de temps opératoire, manque de disponibilité des blocs opératoires, des autres services diagnostiques comme les échographies, etc.);
- Pratique accrue en milieu privé ou dans d'autres milieux concurrentiels au système public.

En résumé: il est tout aussi difficile de consulter un médecin qu'il soit omnipraticien ou spécialiste, sauf en court-circuitant le système en passant par la salle d'urgence, par une clinique sans rendez-vous, par l'intermédiaire d'une connaissance proche du milieu ou encore par une consultation dans le privé.

4) Les autres professionnels de la santé

Le mot d'ordre actuel semble être, encore ici, l'inaccessibilité. On nous parle également de pénurie.

Bien sûr, tous conviennent que de mettre autant d'infirmières à la retraite pour atteindre le fameux et illusoire déficit zéro ne fut pas l'idée du siècle dernier. Et maintenant, nous sommes passés au XXIᵉ siècle.

En plus des infirmières et infirmiers, plusieurs autres membres des ressources humaines en milieu hospitalier commencent à se faire de plus en plus rares : les infirmières auxiliaires, les physiothérapeutes, les techniciens médicaux, les inhalothérapeutes, les travailleurs sociaux, les diététistes, etc. Ceci explique bien la difficulté d'accès à beaucoup de services, les fermetures de blocs opératoires et les problèmes reliés au milieu ambulatoire. Ainsi, s'il manque d'infirmières dans un bloc opératoire, des chirurgies devront être reportées, ce qui par un effet domino en déplacera d'autres, etc. De leur côté, les chirurgies d'un jour requièrent souvent les services de personnes qui sont retournées à leur domicile comme des inhalothérapeutes, des travailleurs sociaux, des physiothérapeutes, des infirmières visiteuses, etc. Quand ces services ne sont pas disponibles, à nouveau, ces chirurgies devront être retardées, les hospitalisations prolongées. Finalement, bien des soins en termes de réhabilitation doivent être prodigués. Ainsi, après un AVC ou encore suite à une chirurgie orthopédique, des services de physiothérapie peuvent s'avérer nécessaires. Que faire quand il n'y a pas de physiothérapeutes disponibles ? Les raisons qui ont provoqué ces pénuries de personnels sont multiples. En voici quelques-unes :

- On ne convainc pas suffisamment d'étudiants à se former dans ces disciplines;
- Certaines formations sont contingentées, ce qui limite l'accès à des étudiants potentiels;
- Une mauvaise organisation des horaires qui fait en sorte que les nouveaux arrivants dans le métier doivent travailler pendant dix à quinze ans dans des créneaux horaires difficiles avant d'acquérir un statut *normal*. Ceci contribue bien sûr à décourager bien des étudiants qui, autrement, auraient envisagé ces carrières;
- Une rémunération inadéquate;
- Des conditions de vie souvent difficiles;
- Certains postes restent, dans plusieurs cas, non disponibles en raison de l'organisation du milieu ou par manque de moyens financiers;
- Un cloisonnement trop étanche fait en sorte que certaines activités ne sont pas reconnues pour tel ou tel poste.

L'organisation des soins de santé doit tenir compte des nouvelles réalités. Le médecin aujourd'hui voit ses activités élargies en composantes interdisciplinaires. Leurs compétences et leurs expériences acquises dans ces nouvelles activités interdisciplinaires devront être reconnues afin de stimuler l'intérêt du médecin à y participer et de faciliter ainsi l'accessibilité aux soins. Il ne s'agit pas de faire de chaque membre du personnel hospitalier un médecin, mais plutôt de créer une dynamique dans laquelle chacun voit ses compétences respectées et mises à profit pour le plus grand bien du patient. Comme le soulignait le Dr Yves Lamontagne, ancien président du Collège des médecins du Québec :

« Il ne s'agit plus d'être le meilleur joueur de l'équipe, mais de faire partie de la meilleure équipe de joueurs. »

6) L'administration hospitalière

Chaque centre hospitalier fonctionne au maximum de ses capacités et de ses ressources. Chacun est soumis à des pressions considérables dépassant leur raison d'être et leurs orientations initiales. En réalité, les centres hospitaliers sont les otages et les victimes du système et, par le fait même, ils en deviennent indirectement responsables au même titre que les autres.

Les centres hospitaliers qui étaient auparavant relativement autonomes quant aux services qu'ils offraient sont devenus les partenaires des groupes communautaires. Ils se voient ainsi soumis à des directives qui ne répondent pas toujours à leur vocation et à leurs orientations. Le système actuel est organisé de telle sorte que les centres hospitaliers font partie de l'organisation régionale des services sous la gouverne des agences de santé (anciennement les régies régionales). Or ces agences sont soumises aux exigences ministérielles et aux plans budgétaires sur lesquels les centres hospitaliers n'ont aucun contrôle. Les administrateurs hospitaliers ont pour mandat de s'assurer que leurs institutions offrent tous les services à ceux qui s'y présentent avec des budgets prédéfinis par l'État. Mais l'État a une vision à court terme, un mandat d'au plus 5 ans. Il devient alors facile de promettre de nouveaux services sans accorder aux fournisseurs de ces services les budgets adéquats.

C'est pourquoi, par exemple, un hôpital universitaire éprouve bien de la difficulté à demeurer *universitaire* parce qu'il doit aussi offrir des services hospitaliers régionaux. L'hôpital suprarégional devra aussi assurer des services locaux. En bout de ligne, l'hôpital régional verra ses ressources diminuées au profit des autres établissements réclamant les mêmes services.

7) Les problèmes d'accessibilité aux services

Les problèmes d'accessibilité aux services diagnostiques et thérapeutiques constituent un frein majeur au bon fonctionnement de notre système de santé.

Bien souvent, pour confirmer un diagnostic ou encore pour administrer une thérapie, le médecin devra recourir à des examens. Qu'il s'agisse d'une radiographie, d'un *scan* pour dépister un cancer ou encore d'une radiothérapie pour en guérir un autre, il reste que si ces services sont continuellement débordés, ni le dépistage ni le traitement ne pourront s'effectuer de façon optimale.

Prenons cet exemple rapporté dans le *Journal de Montréal* du 15 décembre 2010 :

«Anne-Marie Gagnon aura attendu six mois pour commencer ses traitements de radiothérapie. Anne-Marie Gagnon attend depuis plusieurs mois pour sa radiothérapie. Elle dénonce qu'on prenne en otage les patients atteints d'un cancer. Anne-Marie Gagnon souffre d'un cancer du sein. Même si elle a subi une mammographie au début de juillet, elle ne commencera ses traitements de radiothérapie qu'en janvier. Une situation qu'elle dénonce avec sa partenaire Josée Bélanger qui est également infirmière en oncologie[10].»

Il ne s'agit là que d'un exemple parmi tant d'autres. Pour en arriver à un tel niveau d'engorgement, plusieurs facteurs peuvent être invoqués :

- Une surconsommation des services.

En somme, il existe deux façons d'envisager le diagnostic : ou bien par diagnostic différentiel, le médecin établit un diagnostic et le confirme, si besoin est, par des tests diagnostics (analyses de laboratoires, échographies, radiographies, scans, etc.) ou encore à l'inverse, le médecin demande le plus de tests possibles et établit son diagnostic en fonction des résultats de ces tests. Cette dernière façon conduit

---

10. Éric Yvan Lemay, «Un lamentable échec du système», *Journal de Montréal*, 15 décembre 2010, page 7.

inévitablement à une surconsommation des services sans plus de garanties d'une amélioration quelconque au plan diagnostic.

- Un manque de rigueur en regard des règles d'utilisation.

Par exemple, une radiographie n'est pas nécessaire pour confirmer un diagnostic. Cependant, le médecin décide (au cas où) de demander quand même un examen radiologique pour se rassurer, pour satisfaire à la demande du patient ou encore parce qu'un autre médecin le demandera à sa place.

- Une répartition inégale des services.

Tel ou tel autre service d'un hôpital est suréquipé dans une technologie donnée, privant ainsi les autres services d'accès au développement d'autres technologies.

- Une absence de règles claires comme choix de société.

Doit-on réellement faire passer une angiographie (technique visant à dépister les blocages coronariens) à une personne de 80 ans dont la qualité de vie ne serait pas améliorée? Sans choix de société clair, la règle de l'universalité s'applique: tous les individus ont droit à tous les services.

- La limitation des heures disponibles aux services.

Plusieurs services ne sont ouverts que huit heures par jour et certains ne sont efficaces qu'à peine six heures lorsqu'on enlève les périodes de réunion, de dîner et de pause. Une si faible disponibilité est un facteur qui limite l'accessibilité. À six heures sur vingt-quatre, on peut parler d'à peine 25 % d'accessibilité durant les jours ouvrables. La situation est encore pire si on considère les jours fériés, les vacances et les congés de maladie. Il n'est pas si rare de voir une chirurgie pour pontages coronariens reportée d'un vendredi au mercredi suivant parce qu'on est à la veille du congé pascal et que, pendant trois jours, l'hôpital roulera à personnel réduit.

- La répétition d'un examen d'un établissement à un autre par manque de communication technologique.

Sans dossier informatisé, un patient qui se présente dans un hôpital devra souvent se soumettre à des examens qui ont déjà été effectués dans un autre établissement. C'est pourquoi le dossier informatisé est si important : il pourra sauver temps et argent, tout en étant des plus bénéfiques pour le patient.

- Finalement, et non le moindre, l'aspect financier.

La multiplication des examens diagnostiques et thérapeutiques entraîne des coûts énormes, ce qui force l'hôpital à diminuer l'accès aux services. Des mesures cohérentes et pertinentes permettant de diminuer sensiblement cette multiplication permettraient certainement d'augmenter d'autant l'accès aux services diagnostiques et thérapeutiques.

D'ailleurs le même constat peut s'appliquer à tous les services hospitaliers. Pourquoi l'hôpital n'est-il opérationnel que 8 heures par jour quand ses infrastructures et ses appareils technologiques sont accessibles et fonctionnels 24 heures par jour? Surtout lorsqu'on considère, tout comme pour les services, que ces huit heures n'en sont plutôt qu'à peine six. Ainsi, il n'est pas rare (euphémisme pour dire qu'il est plutôt fréquent) qu'un centre hospitalier voit un certain nombre de blocs opératoires fermer avant l'heure prévue. En effet, souvent le dernier cas inscrit sera reporté au lendemain de crainte de dépasser l'heure de fermeture habituelle du bloc. Dans son livre intitulé: *Et si le système de santé vous appartenait*, le Dr Yves Lamontagne en fournit un belle illustration:

«Mon second exemple m'a été donné par des chirurgiens d'un grand hôpital de Québec. Ceux-ci m'ont raconté que la salle d'opération ouvre à 8 h, mais que l'intervention ne peut avoir lieu avant 8 h 45 en raison de la préparation de la salle et de l'attente de tout le personnel requis. Si l'intervention est terminée à 14 h 15, ils ne peuvent en commencer une seconde puisque les salles d'opération ferment à 16 h. Au total, ils ne peuvent opérer qu'un cas par jour dans une salle d'opération qui, somme toute, ne fonctionne que pendant 6 heures sur 24. Des millions de dollars sont investis dans des salles d'opération qui sont fermées 18 heures par jour, faute de ressources budgétaires pour payer les heures supplémentaires du personnel[11]. »

Pour justifier ces freins à la productivité en milieu hospitalier, deux arguments sont habituellement invoqués : les coûts et le manque de ressources humaines. Concernant les coûts, le raisonnement est le suivant : en augmentant les heures opératoires et celles des services, on augmente automatiquement les coûts. Mais en réalité, la chirurgie qui n'est pas entreprise à 14 h 30 sera reportée au lendemain ou à un autre jour, et sera tout de même effectuée. Il n'y a donc pas d'économie réelle, d'autant plus que les ressources mises en œuvre pour préparer le patient à sa chirurgie devront être reprises inutilement. Combien coûtent en réalité ces reports tant sur le plan financier que sur le plan humain ?

L'autre argument invoqué est le manque de ressources humaines. Il s'agit ici d'un faux prétexte : bien des professionnels, tant du secteur public que privé, seraient ravis d'avoir plus de temps pour avoir accès aux blocs opératoires.

La question d'augmenter les heures fonctionnelles de nos hôpitaux mérite certes d'être correctement évaluée. L'organisation des activités de certains services mériterait aussi d'être reconsidérée. Par exemple, faut-il deux ou trois infirmières en salle d'opération

---

11. Dr Yves Lamontagne, *Et si le système de santé vous appartenait ?,* Québec Amérique, 2006, p. 30.

alors qu'un auxiliaire technicien pourrait effectuer le même travail qu'une des infirmières? La formule remporte un réel succès aux États-Unis.

8) Les services communautaires

Le mariage forcé de la santé et des services communautaires représente aussi un accroc au bon fonctionnement de notre système. Ainsi, les CHSLD, les centres d'accueil, les résidences pour personnes âgées subventionnées, les familles d'accueil, etc., sont toutes des entités financées par l'État sous l'égide du système de santé. Est-ce vraiment son mandat que d'intégrer tout cet aspect social des personnes en perte d'autonomie ou présentant des conditions de vie exigeant un soutien collectif?

Plusieurs argumenteront que cette clientèle est malade et, de ce fait, doit être inscrite à l'assurance maladie. Pourtant la majorité des services qui leur sont prodigués ne traitent aucune maladie. Le vieillissement n'est pas une maladie. La perte d'autonomie n'a pas de composante potentiellement améliorable.

Plusieurs affirment, souvent à juste titre, que l'aide financière octroyée à ces clientèles est insuffisante car la santé prend toujours la plus grosse part du gâteau. D'autres diront au contraire que l'argent consacré aux mesures sociales prive le système de santé de budgets pourtant nécessaires à son bon fonctionnement.

Il serait donc souhaitable, dans l'intérêt général, que les mesures sociales et celles concernant la santé soient administrées par des structures autonomes et séparées.

9) La prévention

Elle est au Québec le parent pauvre des activités médicales. On en parle beaucoup mais, dans les faits, on agit peu et on manque de ressources.

Pourtant il est largement démontré que la prévention encourage la responsabilisation, diminue le nombre et la sévérité des maladies et des pathologies, et réduit globalement les coûts de santé. La prévention est le gage d'une société plus active et donc plus prospère.

Présentement, la prévention provient surtout d'initiatives individuelles, sans plan d'ensemble défini. Et les résultats ne sont pas au rendez-vous:

- Une information souvent biaisée et axée sur des promotions individualisées et lucratives;
- Un consensus par défaut (se rappeler l'épisode de la vaccination contre la grippe A H1N1, où dans une première phase le vaccin était rejeté par la population puis dans un deuxième temps a provoqué une ruée vers les centres de vaccination);
- Un manque de responsabilité individuelle (manque d'activité physique, obésité, pollution, etc.) sans égard aux conséquences sur la santé et sur les coûts du système.

- Une surcharge pour le système de santé.
- Un coût social mal défini.

Il ne s'agit pas pour autant d'exiger une conduite exemplaire de chacun, mais il y aurait certainement lieu de définir les grandes lignes directrices et d'inciter chacun à se responsabiliser en adoptant de meilleures règles de vie. Des actions concertées en ce sens pourraient certes faire partie intégrante des programmes du ministère et des mesures incitatives (réduction d'impôts pour des activités physiques...) ou répressives (surtaxe à la malbouffe...) pourraient faire partie de ces politiques de prévention.

10) La régionalisation

Le Québec est grand, son territoire inégalement peuplé, présentant des besoins collectifs parfois très différents en matière de ressources, et inégalement doté de services de santé adaptés aux différentes communautés.

Le problème actuel réside surtout du fait que tous s'attendent à un même service «mur à mur» dans toutes les régions. La responsabilisation collective s'est éteinte à force de promesses non tenues, d'attentes non fondées et de résultats décevants.

Actuellement, toutes les décisions sont prises par un gouvernement centralisateur qui veut plaire à tous et à tout prix. Les résultats décevants ne sont donc pas une surprise. Malgré la mise en place depuis belle lurette des régies régionales, rebaptisées agences régionales, aucune autorité régionale n'a pu rallier sa communauté et surtout imposer une organisation spécifique issue d'un consensus régional.

Ces structures régionales ont actuellement comme mandat d'exécuter et d'administrer les directives de Québec. Une véritable régionalisation consisterait à laisser le soin à ces institutions de définir les besoins propres de la région et de mettre en place des mécanismes pour répondre spécifiquement à ceux-ci. Ces besoins sont souvent bien différents d'une région à une autre.

La gouvernance politique ne peut se résoudre à laisser une telle autonomie à chaque région. Elle doit prendre des décisions qui plairont à tous les Québécois. Dans un tel contexte, il n'est pas surprenant qu'une région, comme celle de Charlevoix, se retrouve avec deux petits hôpitaux, alors qu'un seul hôpital de taille moyenne serait assuré d'un meilleur financement qui permettrait de rendre plus de services à la région en y attirant plus de ressources humaines et technologiques.

Le Québec est unique mais aussi composé de communautés parfois disparates. Les besoins des régions doivent être satisfaits. Tout comme les membres d'une même famille réussissent à satisfaire aux besoins de chacun, le Québec doit permettre à tous de s'exprimer et permettre à chacune des régions de définir ses besoins en santé à l'extérieur de ces structures souvent restrictives tant sur le plan financier que social.

En conclusion

Une définition claire des rôles de chacun des intervenants en santé et des orientations précises axées sur le long terme devra prévaloir à l'avenir sur les directives trop souvent électoralistes et politiques actuelles.

Il faudra bien un jour ou l'autre en arriver à ce nouveau système, dépolitisé et véritablement au service du citoyen.

Chapitre 3
Où est le chef?

T el que souligné à quelques reprises déjà, le manque de leadership actuel dans la gestion du système de santé représente probablement l'empêchement majeur à tout changement de cap. Plutôt qu'une direction qui poursuivrait une orientation déterminée, nous assistons à une gestion par cataplasme où de multiples décisions se prennent au gré des urgences du moment, des récriminations de divers groupes de pression, voire en réponse à un événement dramatique imprévu. Chaque gouvernement nous propose son messie qui irait sauver le système des soins, lequel messie finit invariablement par quitter le poste sans avoir pu réaliser le miracle attendu.

Le leadership ne se crée pas. Il se manifeste souvent dans des périodes de crise, alors qu'une population aspire à une révolution ou pour le moins à un changement majeur. C'est à ce moment que surgit un leader qui rallie la population autour de lui et qui aura la capacité de poursuivre l'idéal imaginé. Il peut s'agir d'un individu ou d'un groupe représentatif de personnes qui répondent aux attentes de leur communauté.

La conjoncture serait favorable actuellement si on considère l'insatisfaction quasi généralisée de la population en ce qui concerne l'organisation des soins de santé. Bien des raisons tant démographiques qu'idéologiques justifient cette conjoncture favorable. Une population jeune se soucie moins des problèmes de santé. À seize ans, tous les êtres humains se croient immortels. Mais lorsque la population vieillit, la santé devient une préoccupation majeure. C'est précisément là qu'en est rendu le Québec avec le flot de baby-boomers qui vont bientôt envahir le système. Par ailleurs, ce pan de la population est celui-là même qui, dans son jeune temps, fut le plus contestataire. Il fut celui qui réclama l'État-providence en même temps qu'une panoplie de mesures sociales qu'il voulait garante de sa sécurité. En d'autres termes, ce large pan de la population québécoise arrive à un âge où il a et aura de plus en plus besoin de son système de santé, mais à un moment où les limites de ce système semblent atteintes sinon carrément dépassées. Cet intérêt pour les problèmes du système de santé fut d'ailleurs confirmé par un sondage Senergis-*Le Devoir*. Voici ce qu'écrit Marco Bélair-Cirino dans son article paru le 28 décembre 2009 :

« La santé doit être la principale priorité des gouvernements pour l'année 2011. C'est du moins ce que pensent plus de la moitié des Québécois, selon un coup de sonde Senergis-*Le Devoir* réalisé entre le 17 et le 19 décembre 2010 auprès de 1000 répondants. Ceux qui estiment que l'État devrait a priori s'attaquer aux problèmes environnementaux sont quant à eux beaucoup moins nombreux. Ils forment 5 % de la population, soit trois fois moins qu'il y a deux ans.

« Si 52 % de la population fait valoir que la santé devrait être la priorité numéro un des gouvernements au cours de la prochaine année, pas moins de 7 Québécois sur 10 exhortent les gouvernements à s'attaquer en priorité aux problèmes du réseau de santé, si on tient compte des répondants qui fixent la santé comme deuxième objectif prioritaire.

« "Les gens sont très préoccupés par l'état du réseau de la santé. Le message est très clair aux gouvernements", affirme Daniel Lemieux, qui est associé à la firme de recherche et de marketing Senergis. "La progression de la santé comme préoccupation est énorme, si on compare avec les résultats du précédent sondage", ajoute-t-il.

« À la fin de l'année 2008, 29 % des répondants répondaient [sic] que la santé devait être la principale priorité, contre 52 % cette année, soit une forte hausse de 23 points[12]. »

Sans un leadership fort en matière de santé, les problèmes soulevés au premier chapitre ne peuvent

---

12. Marco Bélair-Cirino, Sondage Senergis-*Le Devoir,* La santé, priorité des Québécois, *Le Devoir,* 28 décembre 2009, http://www. ledevoir.com/societe/sante/313759/sondage-senergis-le-devoir-la-sante-priorite-des-quebecois dernière consultation le 5 janvier 2011.

se résoudre avec efficacité. Comment définir une accessibilité aux diverses technologies présentes et nouvelles sans une orientation claire et des mesures établies par consensus? Qui décidera d'investir plus en prévention? Comment définir des règles de pratique claires et transparentes? Comment décider de la part du budget qui sera attribuée à la santé et de celle qui sera consacrée aux mesures sociales? Qui sonnera la fermeture du bar ouvert en santé et la fin de la récréation dans les services sociaux?

Ni moi ni le ministre ne sommes en mesure de prendre ces décisions. Elles doivent être présentées par une personnalité ou un groupe qui prendra le leadership en santé. Mais qui est le plus susceptible d'assumer ce rôle?

Les médecins

Certes, dans l'élaboration de ce nouveau système de santé, les médecins doivent avoir et auront effectivement leur mot à dire. Nul ne saurait se passer de leur expertise et de leur connaissance du malade. Il ne faut cependant pas croire qu'un ministre de la Santé, parce qu'il est médecin, saura mieux que quiconque assurer le leadership nécessaire à la gestion du système.

Les gestionnaires actuels

Le Dr Lamontagne a déjà dit à la blague : « Il n'y a pas assez de murs pour mettre tous les cadres ! » « Le nombre de cadres explose », titrait aussi *La Presse* dans un article paru dans son édition du 28 septembre 2010. L'article signé, Ariane Lacoursière, commençait ainsi :

« Depuis 2000, le personnel administratif a crû de près de 52 % et les cadres de 30 % dans le réseau de la santé québécois. Pendant ce temps, le personnel soignant n'a augmenté que de 6 %, révèlent des données gouvernementales compilées par la Fédération des médecins spécialistes du Québec (FMSQ).

« Si bien que, actuellement, environ 108 000 employés du réseau de la santé se consacrent aux soins alors que 100 000 occupent des fonctions de gestion ou d'administration[13]. »

« Bien sûr, l'Association des gestionnaires des établissements de santé et de services sociaux (AGESSS) a tenu à atténuer ces chiffres en parlant de 88 000 au lieu de 100 000, en notant que bon nombre de ceux-ci travaillent aussi auprès des malades et prodiguent à l'occasion des soins (exemple : une infirmière-chef fait partie des cadres et travaille aussi comme infirmière)[14]. »

---

13. http ://www.cyberpresse.ca/actualites/quebec-canada/sante/201009/27/01-4327179-le-nombre-de-cadres-explose.php dernière consultation le 4 janvier 2011.
14. http ://www.cnw.ca/fr/releases/archive/September2010/28/c6051.html dernière consultation le 4 janvier 2011.

Cette croissance ne semble pas avoir produit les bénéfices escomptés pour les patients, puisque les organismes de santé ont dû diminuer leurs services durant la même période, faute de budget. Supposons une usine où on doublerait le nombre de cadres Et où l'on diminuerait de moitié la production. Ce serait rapidement la faillite... Ceci dit, il ne s'agit pas non plus de sabrer dans le nombre de ces gestionnaires. Il ne faudrait pas transférer leur rôle aux médecins, aux infirmières et aux autres membres du personnel soignant. On a besoin de ces derniers pour soigner les malades, et non pas pour compléter des formulaires et établir des bilans prévisionnels.

Les politiciens

Il ne faut pas compter sur les politiciens pour participer aux modifications relatives à la gestion du système de santé car nous voyons depuis plus de 30 ans leur incapacité à changer ou à structurer un système de santé adapté à des orientations et à des objectifs définis. Depuis la commission d'enquête présidée par M. Castonguay en 1970, qui donna naissance au système actuel, combien de nouvelles commissions furent instituées, combien de rapports furent écrits et, dès leurs parutions, mis sur les tablettes? Combien de premiers ministres nous ont dit qu'ils s'attaqueraient efficacement aux problèmes de santé?

Combien de nouveaux ministres furent nommés avec la promesse de régler les dérapages du système ? Si toutes ces personnes, dont on ne saurait douter des compétences, n'ont pu arriver à une solution, ce n'est ni par manque d'énergie ni par manque de bonne volonté. En ce qui concerne l'énergie, on l'a vu, le Québec y consacre près de la moitié de son budget total : on ne peut donc pas prétendre qu'il ne fournit pas l'effort nécessaire. Quant à la bonne volonté, je crois qu'aucun ministre, fut-il le premier, arrive au pouvoir en se disant qu'il va contribuer à détériorer la santé de ses concitoyens.

Si la classe politique n'affiche pas de meilleurs résultats, c'est que la tâche dépasse largement son mandat. Prenons un exemple.

Dans les années 1970, au gouvernement, on savait fort bien qu'une grande partie de la population, ceux qu'on appelle les baby-boomers, arriverait à la soixantaine au début des années deux mille. On savait aussi compter en 1970, et le fait qu'en vieillissant on ait besoin de plus de soins de santé et de plus de médicaments était connu. Un ministre de la Santé de l'époque avait même affirmé en coulisse que durant sa dernière année d'existence, un patient coûtait en moyenne aussi cher en soins de santé que ce qu'il avait coûté durant toute son existence. Si donc tous ces chiffres et ces faits étaient connus, pourquoi donc se lançait-on dans l'élargissement des soins de santé assurés plutôt que de prévoir les budgets qui garantiraient l'avenir du système ? Tout simplement parce que pour le politicien de l'époque, c'était plus rentable d'un point de vue électoraliste de promettre qu'à son prochain mandat tous les soins dentaires seraient couverts pour les enfants plutôt que d'annoncer des restrictions impopulaires. La classe politique est et sera toujours confrontée à ce genre de dilemme. Le mandat d'un politicien est de 5 ans tout au plus, celui de la santé d'un individu dépasse aujourd'hui les 80 ans. Un autre exemple nous permet de mieux comprendre.

Supposons qu'en 1962, après avoir réussi la nationalisation de l'électricité au Québec, le gouvernement de Jean Lesage, avec René Lévesque comme ministre, avait décidé de faire de l'électricité un ministère plutôt qu'une société d'État connu sous le nom d'Hydro-Québec, qu'aurait-il pu arriver? Seuls décideurs des tarifs, les gouvernements ultérieurs auraient eu beau jeu d'augmenter ceux-ci à leur rythme. Un de ces gouvernements aurait pu aussi décider de rendre l'électricité gratuite pour tout le monde, le budget du ministère de l'Électricité se fondant dorénavant dans celui de l'État. Politiquement parlant, c'eût été une trouvaille. Imaginez-vous: plus aucune facture d'électricité à payer.

Si cette hypothèse vous parait utopique, sachez qu'en 1978, Jacques Parizeau, alors ministre des Finances du Québec, décida que désormais plus personne n'aurait à payer une prime d'assurance à la RAMQ comme cela se faisait depuis la création du régime d'assurance maladie en 1971. Désormais, il n'y aurait plus de primes à payer. Le budget du ministère passerait tout simplement dans celui de la province et l'argent serait prélevé à même les impôts, taxes et autres revenus de la province. Le bon peuple applaudit sans réfléchir. Quant à M. Parizeau, il venait de faire apparaître dans les coffres de son ministère un beau 138 millions de dollars accumulés par la RAMQ au cours de sa jeune existence. Ce fut la dernière année où la Régie de l'assurance maladie du Québec afficha un surplus: dorénavant on ne comptera plus qu'en termes de déficits.

Finalement, les politiciens, même les mieux intentionnés, suivent une forte tendance, celle qui s'appelle: pelleter en avant. On vous promet des garderies publiques qu'une minorité de personne avait demandées à l'époque, promesses annoncées en 1996 pendant la campagne électorale. Dans le domaine de la santé, le même stratagème fut utilisé avec l'annonce puis la création de l'assurance médicament.

Par ailleurs, il est indéniable que la mise en place d'un organisme paragouvernemental de la santé (on pourrait l'appeler Santé-Québec) le sera selon les critères et les objectifs identifiés préalablement par le gouvernement, à l'instar d'Hydro-Québec dont la gouvernance est édictée en termes d'orientation et d'objectifs.

Les élus doivent s'assurer de l'éthique et de la bonne marche de Santé-Québec sans cependant s'ingérer ou intervenir dans son organisation et ses opérations. Il va de soi que la compétence et la réciprocité des mesures organisationnelles se verront complices de l'un et de l'autre, d'autant plus que le gouvernement siègera comme membre du conseil d'administration de l'organisme.

Dans son livre *Et si le système de santé vous appartenait?*, le Dr Yves Lamontagne parlait d'Hydro-Santé en faisant référence à Hydro-Québec, qui doit lui aussi offrir des services permanents à la population 365 jours par année:

« L'Hydro-Santé serait formée de gestionnaires nommés et non élus qui géreraient la "santé" et non des "compressions". Bien sûr, il ne s'agit pas de créer une société d'État aussi grosse qu'Hydro-Québec, mais de faire en sorte que les décisions d'organisation soient prises par des gens indépendants de la politique. En énonçant ce concept, je ne rêvais pas en couleur. Je savais bien que les politiciens n'accepteraient jamais de céder 40 % d'un budget avec lequel ils gagnent leurs élections, autant au provincial qu'au fédéral. En fait, il ne s'agit pas de céder un budget, mais plutôt de le faire administrer par un organisme parapublic, sans lien avec la politique, comme cela se fait dans bien d'autres domaines reliés à l'État, telles l'assurance automobile, la santé et la sécurité au travail ou l'énergie électrique[15]. »

Les médecins, les autres professionnels de la santé, les gestionnaires et les politiciens devront avoir leur mot à dire tant dans l'instauration que

---

15. Dr Yves Lamontagne, *Et si le système de santé vous appartenait?*, Québec Amérique, 2006, p. 73.

dans la gestion du nouveau système de santé qu'il reste à créer... mais là doit se limiter leur rôle.

Nous suggérons donc ici de mettre sur pied un organisme paragouvernemental, qu'on pourrait aussi appeler une société d'État, qui aurait pour mission de créer un nouveau système de santé entièrement apolitique et destiné à résoudre les problèmes actuels et futurs de la santé au Québec.

Le tout pourra se réaliser en trois étapes principales :

1) Proposer une vision de ce que sera ce nouveau système, des défis qu'il aura à relever et des objectifs qu'il poursuivra. C'est le but principal du présent livre.

2) Provoquer la mise en place d'un groupe de meneurs aptes à établir les bases de ce système en fonction de la vision et des objectifs établis. Ce groupe sera constitué de patients, de penseurs, de professionnels de la santé (tant du milieu public que privé), de gestionnaires et de politiciens.

3) Établir un échéancier de transition entre le système actuel et le nouveau système. Cette étape devra se faire en douceur en prenant le temps d'arrimer efficacement les structures impliquées.

Chapitre 4
Ici et ailleurs

U n dicton populaire suggère que lorsqu'on se regarde, on se désole et lorsqu'on se compare, on se console. À titre de société distincte, au Québec, en matière de système de santé, on a toujours fait fi de ce proverbe et affirmé que nous avons le *plusse meilleur* système de santé au monde. Depuis les débuts du système, le message est le même : en santé, nous avons ce qu'il y a de mieux, rien de moins. Encore aujourd'hui, nos politiciens nous affirment sans broncher que tout va pour le mieux dans le meilleur des mondes. Un problème fait la une des médias, une solution sort du chapeau à magie du ministère. Et le vocabulaire s'adapte aux circonstances. Ainsi dans le dossier de l'informatisation du dossier médical, au lieu d'admettre une terrible et surtout ruineuse erreur dans la conception et la réalisation du projet, on parle plutôt d'ajustements mineurs, d'une réorientation qui permettra d'atteindre l'objectif final... plus tard. En santé, nous sommes probablement devenus les meilleurs dans le domaine des euphémismes.

Et si nous n'avions pas le meilleur système de santé au monde? Et s'il y avait de bonnes idées ailleurs? Et si nous osions aller voir?

Le Dr Robert Ouellet est radiologue et copropriétaire de plusieurs cliniques de radiologie au Québec. Il a été président de l'Association médicale québécoise (AMQ), président de l'Association médicale canadienne (AMC) et délégué par celle-ci comme représentant canadien à l'Association médicale mondiale (AMM / WMA). Il a visité bien des pays et discute régulièrement de santé avec des confrères aux quatre coins du globe. Dans une entrevue réalisée par Graham Lanktree du *Canadian Medical Association Journal* en août 2008, quelques semaines avant d'entreprendre son mandat comme président de l'AMC, son idée est déjà faite comme le résume bien le journaliste qui écrit:

« Dr Robert Ouellet, the co-owner of five private radiology clinics in the Montreal area, is undeterred: he says his mandate is nothing less than to come up with a plan by the end of the year to totally remodel the Canadian healthcare system[16] », que je traduis librement: «Le Dr Robert Ouellet, copropriétaire de cinq cliniques de radiologie privées dans la région de Montréal, est des plus motivés: il dit que son mandat n'est rien moins que de présenter un

---

16. http://www.canadianmedicinenews.com/2008/08/interview-dr-robert-ouellet-cmas-new.html dernière consultation le 11 mai 2011.

plan d'ici la fin de l'année afin de totalement remodeler le système de santé canadien.»

Mais avant d'en arriver à ce thème, voyons quelles furent ses observations sur les différents systèmes de santé à travers la planète.

Examinons la problématique canadienne sur un plan général. Le Canada se classe au 5e rang sur 27 pays de l'OCDE pour ses dépenses de santé et au 8e en ce qui concerne son PIB. Le Canada traîne les pattes question ratio médecins-habitants sur plusieurs de ces pays. Le système de santé canadien n'est définitivement pas axé sur le patient. Malgré une hausse plus que substantielle des dépenses en santé, l'accès aux soins demeure problématique pour de nombreux Canadiens. En effet, environ 5 millions de nos compatriotes n'ont pas de médecins de famille. Les périodes d'attente en salles d'urgence établissent chaque année de nouveaux records. Par exemple, en mai 2011, le temps d'attente moyen dans une salle d'urgence de la région de Montréal dépassait les 20 heures tandis qu'à l'échelle de la province, on parlait de 18 heures. Le Ministère se fixe comme objectif une douzaine d'heures, tout en omettant d'en faire une promesse. On pourrait en dire tout autant des soins sélectifs. Dorénavant, on ne parle plus de diminuer les heures d'attente, mais le but semble devenu plutôt de les stabiliser... Euphémisme, quand tu nous tiens.

Ailleurs c'est peut-être loin

Lors d'une mission d'étude canadienne dans laquelle prenaient part plus de 75 personnes provenant de 36 organisations, cinq pays furent visités et consultés sur leur système de santé. Il s'agissait de l'Angleterre, du Danemark, de la Belgique, des Pays-Bas et de la France. La mission canadienne a pu rencontrer diverses organisations comme les ministères de la Santé des pays visités ainsi que celui de l'Union européenne, les associations médicales nationales et autres groupes de médecins et d'infirmières, divers fournisseurs de soins de santé tels les hôpitaux, des instituts nationaux et internationaux de recherche en santé, ainsi que des groupes de patients et autres organisations spécialisées. Le but de la mission était de comprendre, dans la transformation et l'amélioration des soins de santé, ce qui a été fait et de quelle façon cela a été fait. Voyons-le pays par pays.

L'Angleterre

Grâce à un leadership politique solide (qui manque cruellement au Québec), l'Angleterre a réussi à réduire de beaucoup les délais d'attente. En Angleterre, le financement est basé à 100 % sur l'activité. En d'autres termes, un hôpital est payé en fonction du nombre de patients qu'il traite. Plus l'hôpital a de patients, plus il reçoit de financement. Le patient devient donc un revenu pour l'hôpital et non un coût. Ce 100% ne s'appliquerait peut-être pas partout ici, mais il y aurait certainement place à un accroissement du financement basé sur les activités.

Pour réduire ses temps d'attente, l'Angleterre a aussi mis en place des mesures d'incitations et des cibles précises à atteindre. Il ne s'agit pas là-bas de vœux pieux : les administrateurs sont tenus responsables lorsque les objectifs ne sont pas atteints. Cette responsabilité peut aller, s'ils échouent à la tâche, jusqu'à leur congédiement pur et simple. Ainsi, un directeur général peut être congédié si son hôpital affiche des taux d'infections trop élevés. L'efficacité est considérée d'abord comme une question de responsabilité.

Autre méthode utilisée par les Britanniques : ils ont introduit une certaine concurrence pour améliorer le rendement global en créant des centres de traitements indépendants (ils ont choisi à dessein le mot *indépendant* plutôt que *privé* pour éviter de susciter des controverses inutiles). Par exemple, un hôpital affiche un retard dans ses chirurgies, les opérations sont alors transférées dans ces centres. Au Québec, on a vu quelques expériences similaires dont le cas de la clinique Rockland MD dans la région de Montréal. Celle-ci réalise diverses chirurgies, ce qui a permis à l'Hôpital Sacré-Cœur de Montréal de complètement résorber sa liste d'attente en oncologie, en plus de dégager des bénéfices. Malgré ce bilan, on ne peut plus positif, plusieurs voudraient éliminer cette clinique privée où le patient n'attend pas. Sans compter qu'il n'a pas un seul sou à débourser pour obtenir ces services, car ceux-ci sont entièrement payés par le gouvernement. En d'autres termes, l'efficacité de cette clinique privée et, surtout, la satisfaction totale des patients et des médecins sont mis de côté pour d'obscures raisons partisanes des adeptes du *statu quo*.

L'ancien premier ministre Tony Blair a un jour décrété que le temps d'attente maximal en salle d'urgence d'hôpitaux devait être de 4 heures et moins. À l'intérieur de ces 4 heures, le patient doit être obligatoirement traité, retourné à son domicile ou hospitalisé. Bien sûr, un tollé se fit entendre, mais le PM ne lâcha pas prise. Dans chaque hôpital, un comité formé d'un administrateur, d'un médecin et d'une infirmière fut créé pour élaborer des stratégies propres à leur milieu. Et cela fonctionna ! En moins de temps qu'il n'en faut pour le dire, la consigne fut respectée à plus de 99 %. Lorsqu'un hôpital ne respecte pas la norme, des pénalités s'appliquent. En ce qui concerne les chirurgies, le délai maximal entre la première fois qu'un patient voit son médecin et sa chirurgie a été graduellement abaissé à 18 semaines. Encore ici, des pénalités s'appliquent en cas de non respect des objectifs, forçant ainsi plusieurs à régler rapidement les problèmes. Dans un certain hôpital de Londres, on éprouvait des difficultés à respecter les délais parce que les services en IRM étaient trop longs. Le département de résonance magnétique a dû trouver des solutions, car l'hôpital n'acceptait pas d'être pénalisé pour un de ses services qui ne répondait pas aux exigences.

Pour que le public soit au courant des divers progrès en matière de santé, l'Angleterre a mis sur pied tout un système visant à améliorer la transparence en ce qui concerne les soins de santé. Une foule d'informations sont rendues disponibles à l'ensemble de la population, comme le temps d'attente dans tel ou tel hôpital, les taux d'infections, etc.

Finalement, l'administration britannique a développé une stratégie informatique qui permet aux patients de prendre leur rendez-vous en ligne ; ce système touche également les résultats de laboratoire et les ordonnances médicales. Il faut noter que pour la très grande majorité des mesures prises en Angleterre, il ne fut nullement question de budget, mais tout simplement d'organisation.

Le Danemark

Au Danemark, plusieurs mesures ont aussi été mises de l'avant pour diminuer les temps d'attente concernant l'accès aux services de santé. Par exemple, il a été décidé de fixer à 50 % le financement des hôpitaux selon leur achalandage. Rappelons qu'en Angleterre, le taux est de 100 % et qu'ici, il est de

0 %, nos hôpitaux étant financés par un budget global, peu importe le nombre de patients qu'ils traitent. Le Danemark a établi la norme à 50 % en tenant compte des vocations diverses des hôpitaux. Par exemple, un hôpital universitaire ou un hôpital suprarégional devra tirer son financement ailleurs que dans les soins directs aux patients, puisqu'une partie de son budget est investi dans l'enseignement, la recherche, etc. Le Danemark a aussi imposé une limite d'un mois au temps d'attente, après quoi le patient est référé au système privé dont les coûts sont aussi défrayés par l'État. Pendant un certain temps, à cause d'une grève, la limite fut étendue à deux mois, mais elle est depuis revenue à la normale. C'est quelque peu différent avec ce qui se passe ici, où pour certaines chirurgies, on parle de 18 mois d'attente.

Une autre des innovations mise de l'avant au Danemark est l'établissement d'une garantie de traitement dans les 48 heures (pas 48 semaines ni même 48 jours !) pour les patients atteints de cancer. Une personne qui reçoit un diagnostic de cancer passera devant tout le monde pour être traitée (c'est ce que les anglophones appellent : *fast track*), non pas parce qu'elle a de l'argent pour payer, non pas parce qu'elle peut exercer son influence, mais tout simplement parce qu'elle a une maladie grave qui exige un traitement rapide. Voilà vraiment ce qu'on peut appeler un système de santé axé sur le patient.

Le Danemark a aussi transféré aux municipalités les responsabilités qui concernent les soins prolongés. Par exemple, un individu reçoit son congé de l'hôpital; son traitement médical est terminé mais, par manque d'autonomie ou pour tout autre raison, il doit être transféré dans un centre de soins prolongés. C'est à la municipalité qu'incombe la responsabilité de lui trouver une place qui puisse l'accueillir. De plus, tant et aussi longtemps que cet individu restera à l'hôpital en attente de cette place, c'est la municipalité qui paiera le plein tarif de son séjour en hôpital. Donc, si le coût de séjour à l'hôpital est de 1 000 $ par jour, la ville défrayera ce tarif à l'hôpital tant que le patient y séjournera. En considérant que le coût moyen en centre de soins de longue durée se situerait autour de 300 $, les municipalités s'organisent habituellement pour avoir suffisamment de places dans leurs centres afin d'accueillir rapidement les personnes qui en ont besoin. Tout à fait curieusement, au Danemark, il n'y a pas de liste d'attente pour les entrées en centre de soins de longue durée et tout aussi curieusement, il n'y a pas de lits d'hôpitaux occupés par des patients qui devraient être en centre de soins de longue durée! Tout comme l'Angleterre, le Danemark s'est doté d'une politique de transparence sur toutes les informations concernant l'état des hôpitaux, y compris celles de leur rendement. À l'instar de l'Angleterre, le public a aussi accès aux rapports des laboratoires, aux ordonnances, et il peut prendre rendez-vous en ligne, alors qu'ici on ergote depuis plusieurs années sur le fameux dossier informatique de santé. À titre d'information, rappelons cet article signé Jean-Marc Salvet, paru dans *Le Soleil* du 5 mai 2011 :

« Un "échec". Le vérificateur général du Québec, Renaud Lachance, ne pouvait trouver de mot plus dur pour qualifier le projet d'informatisation des dossiers médicaux des Québécois et du réseau de la santé dans son ensemble. C'est pourtant celui qu'il a employé.

« Tout le processus d'informatisation du réseau coûtera au moins 1,4 milliard $, a révélé le vérificateur dans le rapport qu'il a présenté à l'Assemblée nationale, mercredi.

« L'équipe d'experts de Renaud Lachance soutient qu'aucun des paramètres de départ du projet Dossier de santé du Québec, lancé en 2006, ne sera respecté : ni les coûts, évalués à 563 millions $, ni son échéancier, non plus que sa portée.[17] »

Si au lieu de vouloir bâtir un système universel qui coûtera des sommes astronomiques, nous avions procédé par étapes, il y a fort à parier que nous aurions déjà franchi de grands pas durant ces cinq dernières années. Au Danemark, c'est ce qu'on a fait. Par exemple, au niveau des ordonnances, l'État s'est

---

17. http ://www.cyberpresse.ca/le-soleil/actualites/sante/201105/04/01-4396227-informatisation-des-dossiers-de-sante-un-echec-qui-coute-cher.php dernière consultation le 29 mai 2011.

doté d'un serveur central. Lorsqu'un médecin dresse une ordonnance, il ne remet pas un papier au patient comme cela se fait ici. Il fait une prescription électronique qu'il dirige vers ce serveur central (au Danemark, les graffitis illisibles en matière de prescription sont choses du passé). Le patient n'a qu'à se présenter à la pharmacie de son choix, laquelle a accès à ce serveur, pour faire remplir sa prescription. Le Danemark compte 5 millions d'habitant, ici un peu plus de sept. La chose serait donc facilement réalisable, et il y a fort à parier que si on s'y était pris correctement, la facture n'aurait pas été de 1,4 milliard de dollars. Déjà les pharmacies du Québec sont informatisées, il ne s'agirait que d'avoir une adresse unique au Ministère pour que les médecins y envoient leurs prescriptions et que chaque pharmacie puisse y avoir accès. Rappelons qu'il existe déjà un lien fonctionnel entre les pharmacies et le Ministère en ce qui concerne l'assurance médicament. En d'autres termes, tous les éléments de l'ordonnance informatisée sont déjà en place et fonctionnels. Il n'y manque qu'une adresse Internet pour acheminer la prescription du médecin au serveur qui existe déjà et aux pharmacies qui sont déjà branchées sur ce serveur. La même observation peut être faite en ce qui concerne la prise de rendez-vous en ligne. Au Danemark, le patient peut aller sur le site internet de son médecin et accéder à la section : prise de rendez-vous. Dans cette section, le médecin a identifié des plages horaires où il est disponible. Le patient s'y inscrit et par retour de courriel, il reçoit confirmation de son rendez-vous. C'est simple et cela ne coûte pratiquement rien, le médecin et le patient ayant tous deux accès à un ordinateur. Mais il semble qu'ici, les solutions simples et peu coûteuses font piètre figure par rapport à des projets qui coûteront quelques milliards de dollars et ne seront pas disponibles avant un autre 5 ans.

La Belgique

En Belgique, il y a zéro temps d'attente. Le taux de satisfaction est, il va sans dire, des plus élevés. Tous ont un accès égal et chacun est libre de consulter dans le secteur public ou privé. Le financement des hôpitaux est basé entièrement sur les activités: plus d'activités, plus de financement. Les patients peuvent avoir accès directement aux spécialistes de leur choix sans avoir à passer par un omnipraticien pour obtenir une référence. Le rendez-vous le jour même est garanti pour consulter un médecin de famille. Deux choses essentielles font que ce système fonctionne bien en Belgique: le nombre de médecins et le système de copaiements. La Belgique compte beaucoup plus de médecins par habitant qu'ici, leur ratio étant près du double du nôtre. Il est même possible qu'en téléphonant à son médecin, ce soit lui-même qui réponde à l'appel; en effet, certains sont moins occupés et préfèrent prendre directement les appels. L'autre facteur est leur système de copaiements. En Belgique, le patient paie environ le quart du coût de ses soins. La plupart ont une assurance privée qui défraie ces coûts et, pour les plus pauvres, c'est l'État qui prend en charge le 25 % des coûts payables par le patient. Tous ont donc accès aux soins. Environ 90 % des Belges sont ainsi couverts. Quant aux 10 % restants, ils ne prennent pas d'assurance, non pas parce qu'ils n'en ont pas les moyens, mais plutôt parce qu'ils sont assez riches pour défrayer de leur poche ces frais de 25 % lorsqu'ils sont malades.

Les Pays-Bas

Aux Pays-Bas, le principe directeur est différent. Le gouvernement a institué une assurance maladie privée et obligatoire pour tous, laquelle est régie par la loi et renferme des dispositions fermes pour la sauvegarde des principes d'accès universel. Pour les personnes dont le revenu est insuffisant pour défrayer les primes d'assurances, l'État paie ces primes à leur place. Le financement suit le patient, tous sont égaux. En fait, ce sont six compagnies d'assurances qui gèrent le système et qui ont une obligation de services. Les patients doivent être traités. Compétition et obligation de services ont fait en sorte que les temps d'attente n'existent plus aux Pays-Bas. Dans une situation où il est impossible d'offrir le traitement à un patient, celui-ci sera amené en Belgique, pays voisin, pour recevoir son traitement aux frais de la compagnie d'assurances qui couvre ses soins. Les Pays-Bas ont axé leur système sur la qualité. Pour les assureurs, il convient de choisir les fournisseurs de services selon la qualité de leurs soins. À cet effet, les hôpitaux doivent fournir des rapports de leur performance et un programme national d'amélioration de la qualité professionnelle.

La France

En matière de système social en santé, deux systèmes ont vu le jour. Le système anglais fut mis sur pied en 1948, suite aux recommandations de Lord William Beveridge dont le premier ministre de l'Alberta, T. Douglas, s'est inspiré dans ses réformes sociales. L'autre système a été créé par Otto von Bismark, qui fut chancelier de l'Allemagne à la fin du XIXᵉ siècle. Le système beveridgien, qui a influencé le Royaume-Uni et le Canada, tire les revenus pour les programmes sociaux de santé directement à même les impôts perçus par l'État. Le système bismarckien est basé sur des caisses d'assurance maladie financées par des cotisations venant de diverses sources comme l'individu, l'employeur et l'État. Ce système a évidemment servi de modèle à l'Allemagne, mais aussi à la France, à la Belgique et aux Pays-Bas pour ne nommer que ceux dont nous avons parlé ici. Au Québec, notre première approche fut d'adopter le système bismarckien, d'où la naissance de la RAMQ. Mais comme nous l'avons déjà souligné, quelques années plus tard, le gouvernement québécois voyant que la RAMQ avait engrangé des surplus de plus de 100 millions de dollars, décida de changer de cap en adoptant plutôt le système beveridgien dans lequel les cotisations furent abolies et les budgets nécessaires prélevés à même les impôts.

La France, à l'instar de bien des pays européens, a adopté le système bismarkien. La sécurité sociale (la Sécu, dans le langage de tous les jours) est financée en grande partie par les contributions des employeurs, des employés et des impôts. Certains allèguent que le système français est déficitaire. En 2009, le France consacrait environ 11 % de son PIB à la santé, alors qu'ici on parle de 10 %. Si une certaine inquiétude se manifeste chez les Français quant à l'augmentation des coûts, augmentation due, tout comme ici, à de multiples facteurs comme le vieillissement de la population, les médicaments, etc., leur système a, entre autres avantages par rapport au nôtre, celui de bien fonctionner. Les listes d'attente en chirurgie ou les temps d'attente en salle d'urgences n'existent tout simplement pas. Les chirurgies sélectives, dont les chirurgies cardiaques, sont majoritairement pratiquées dans le privé (60 %) mais elles sont payées par les fonds publics. Il n'y a pratiquement pas d'attente significative en France. Les puristes pourraient dire qu'il y en a un peu, d'une à 2 semaines pour certains cas, mais rien qui se compare à ici. Si un patient décide de requérir les services d'un médecin en particulier, celui-ci pourra lui demander un tarif supplémentaire (surfacturation). Il conservera une partie de ces honoraires pour lui et en remettra une partie dans le système public. Ainsi, le privé sert aussi à subventionner le public... ce qui est précisément ce que nous suggérons dans notre ouvrage.

Ce qui fonctionne en Europe

Il existe plusieurs éléments communs dans ces divers pays qui font en sorte que ceux-ci disposent de systèmes de santé plus performants et davantage axés sur le patient. Notons que dans tous ces pays, le ratio médecin-population est plus important qu'au Canada et qu'au Québec. Ensuite, chacun a adopté le financement des hôpitaux par activités. Cette mesure est primordiale à tout changement bénéfique. Ici, les hôpitaux sont payés selon des budgets préétablis : l'hôpital X reçoit un budget global de fonctionnement Y. Dans un tel système, moins l'hôpital offre de soins, moins il reçoit de patients et meilleures sont ses chances d'atteindre ses objectifs budgétaires. Ce qui fait dire à certains que les hôpitaux fonctionneraient très bien ici si seulement il n'y avait pas de patients à traiter ! Dans le système de financement par activités, l'hôpital est payé chaque fois qu'un service est fourni. Dans un tel cas, plus il y a de patients, plus il y a de soins et plus il y a de chirurgies, plus les revenus de l'hôpital augmentent. Tous les pays visités avaient adopté des mesures incitatives et concurrentielles qui permettent d'accroître la productivité tout en contrôlant les coûts. Partout dans ces pays, il y a coexistence du secteur public et du secteur privé. Les Européens comprennent mal notre frilosité légendaire envers le secteur privé; chez eux, plutôt que de parler d'opposition entre les deux systèmes, on entend collaboration et complémentarité. Contrairement au Canada, il n'y a pas de débat au sujet des places respectives du public et du privé. Tous les États visités font preuve d'une plus grande transparence et ont favorisé un rôle accru du patient dans le choix de ses soins de santé.

Les systèmes européens sont fondés, tout comme ici, sur des principes d'universalité et de solidarité. On refuse de soins à personne. Pourtant, dans tous ces pays, le temps d'attente ne constitue pas un problème important. Les responsables européens sont étonnés d'apprendre l'existence et surtout l'ampleur de nos temps d'attente ici. L'accent est mis sur la qualité des soins avec des mesures de transparence et d'information au public.

Plusieurs facteurs ont contribué à rendre ces réalisations possibles outremer alors qu'ici, les problèmes semblent se complexifier d'année en année plutôt que de se résoudre. En Europe, on a fait preuve en matière de santé d'un leadership politique solide assorti d'une vision claire. Les temps d'attente ont souvent été le facteur déclencheur pour forcer un changement. Des mesures à court terme, tel le financement fondé sur les activités, ont permis de créer des incitatifs favorables au succès. À ces mesures, on a aussi ajouté plus de pouvoir aux patients quant aux changements à apporter. C'est d'ailleurs ce dont nous parlons le plus tout au long de ce livre : *placer le patient non pas au cœur mais bien à la tête du système.*

Les pistes de solution

Tant et aussi longtemps que l'on croit qu'une chose est impossible à faire, on ne le fait pas, on n'essaie même pas. La première condition est donc de comprendre qu'il est possible de modifier la gestion et l'exercice du système de santé ; d'autres pays l'ont fait avec le succès qu'on a démontré plus haut. Il faut avouer qu'ici, chaque fois qu'un individu se lève pour demander du changement, immédiatement les bonzes qui dirigent le système actuel (et qui ont élevé ce système au rang d'une religion obligatoire) dressent l'épouvantail du système américain. Est-il quelqu'un pour enfin affirmer qu'au lieu de vouloir imiter le dernier de la classe, celui dont le système coûte le plus cher et dont l'accès est le plus limité, il serait préférable de s'orienter sur les premiers, ceux qui ont réussi? Nous l'avons dit d'entrée de jeu, il est temps d'ébranler les colonnes de notre sacro-saint système de santé. Pour ce faire, il vaut mieux cesser de regarder au sud et orienter notre vision vers ce qui s'est fait à plus de 5 000 kilomètres à l'est, de l'autre côté de l'Atlantique. Il ne s'agit pas de copier totalement ni d'importer l'un ou l'autre des systèmes européens. Il faut considérer qu'il n'existe aucun système parfait. Il serait souhaitable d'aller piger dans chacun de ces systèmes des éléments qui peuvent s'adapter à notre société. Il s'agira, en d'autres mots, de faire un heureux mélange de leurs solutions avec les objectifs que nous désirons atteindre ici. Il faut créer un modèle qui nous sera unique et adapté aux besoins de notre population.

Le financement, le nerf de la guerre

Il est clair que nous devrons innover en matière de financement pour trouver des solutions originales qui permettront de nouvelles sources de revenus pour l'État pourvoyeur de soins. Avant tout, il faudra identifier des pistes pour déterminer comment ce financement servira le malade. Nous l'avons vu plus haut, dans la formule actuelle, le financement est donné par enveloppes budgétaires octroyées aux diverses institutions. Rappelons-nous, tel hôpital reçoit un montant de X dollars pour assurer son fonctionnement annuel. Moins de dépenses de l'hôpital sera gage que son budget est respecté. Dans notre système, chaque patient est une dépense. Il faudra trouver une façon, en suivant les modèles européens, d'inverser cette manière de faire: le patient doit devenir un revenu pour les fournisseurs de services. Le financement par activités, même s'il est partiel, permet d'atteindre beaucoup plus facilement cet objectif. Il faudra aussi convenir de mesures incitatives pour améliorer l'efficacité et le rendement. En termes simples, il s'agit de la bonne vieille recette de la carotte et du bâton. Si tu fais bien, tu as plus de carottes et si tu n'atteins pas tes objectifs, tu te fais taper sur les doigts. À tous les niveaux, on devra parler d'imputabilité: c'est la seule façon de responsabiliser tous ceux qui œuvrent dans le système.

Autre épouvantail: la concurrence

Dans l'état du système actuel, parler d'une saine concurrence en santé équivaut à blasphémer dans nos anciennes églises. Pourtant, le secteur privé peut souvent offrir des services payés par l'État à moindre coût et surtout d'une manière plus efficace que les institutions gouvernementales.

Nous avons déjà parlé de Rockland MD, et nous en parlerons en détail en conclusion de ce livre, mais il n'empêche qu'au moment d'écrire ces lignes, non seulement ces stratégies gagnantes ne font pas la une des médias, mais, en plus, chaque fois qu'on en parle, un tollé venant des intégristes du système de santé se fait entendre pour réclamer le retour au public de ces services rendus dans le privé et payés par l'État.

Qu'est-ce qui empêche ce même État de choisir parmi ceux qui dispensent des services celui qui est en mesure de fournir les soins de la meilleure qualité, dans un temps des plus acceptables et au moindre coût ? Qu'est-ce qui l'empêche de regarder tant dans le privé que dans le public ? Il ne faut pas craindre d'éliminer certains dogmes lorsqu'on veut apporter des changements. Le rôle du Ministère et celui du ministre de la Santé devrait être de fixer des objectifs clairs et précis et, par la suite, de laisser à une organisation indépendante et relativement autonome l'organisation et les moyens à trouver afin d'atteindre ces objectifs.

C'est ce que nous proposons ici avec Santé-Québec.

Moins soumis aux influences politiques et dotée d'une plus grande transparence, Santé-Québec permettrait, entre autres, pour le plus grand bien de la population, de cesser de viser des objectifs minimalistes pour plutôt exiger l'atteinte de cibles claires avec des stratégies précises. Il faut comprendre que vouloir, par exemple, baisser le temps d'attente de deux heures en salle d'urgence sur une période de deux ans, ce n'est pas une amélioration suffisante. Quand nous attendons 18 heures à l'urgence, nous n'avons pas le meilleur système de santé au monde. Il est temps de s'en rendre compte, Et lorsque nous n'attendrons plus que 16 heures, il sera difficile de maintenir ce discours qui prétend qu'il s'agit là d'une amélioration. Nous ne pourrons pas toujours accepter l'inacceptable. Il est temps de dire ce que nous voulons et de prendre les mesures pour l'atteindre.

Pour ce faire, les technologies de l'informatique, de transfert et de stockage de données devront être disponibles. Et bien sûr, d'autres technologies devront aussi être offertes à plus de médecins et de cabinets de médecins, comme les prises de rendez-vous par internet, les prescriptions informatisées, etc.

Il faudra donc innover, se montrer créatif tout en profitant des expériences menées ailleurs. Bien des initiatives ont vu le jour, que nous soulignerons dans cet ouvrage. En voici un premier bon exemple.

Dans un document de 45 pages intitulé : *La transformation des soins de santé au Canada - Des changements réels, des soins durables,* on peut trouver dès le sommaire les objectifs et les mesures à prendre pour changer le système de santé. Le document a été publié en août 2010 et notre collaborateur pour le présent ouvrage, le Dr Robert Ouellet, en fut l'un des signataires. Le document est disponible à l'Association médicale canadienne ou sur le Web[18].

---

18. http://www.cma.ca/multimedia/CMA/Content_Images/Inside_cma/Advocacy/HCT/HCT-2010report_fr.pdf

On peut donc lire, à la page v du sommaire :
«Le Plan de l'AMC sur la transformation des soins de santé vise trois buts fondamentaux : améliorer la santé de la population, améliorer l'expérience de soin des patients et améliorer la valeur des fonds utilisés pour les soins de santé. L'AMC a formulé un cadre de transformation qui énumère les mesures à prendre pour produire le changement. Elles sont organisées selon cinq grands piliers :

1. Bâtir une culture de soins axés sur les patients
- Créer une Charte des soins axés
  sur les patients

2. Offrir des incitations afin d'améliorer l'accessibilité et la qualité des soins
- Modifier les incitatifs afin d'améliorer
  l'accès en temps opportun
- Modifier les incitatifs afin d'appuyer
  des soins de qualité

3. Améliorer l'accès pour les patients dans tout le continuum des soins
- Accès universel aux médicaments
  d'ordonnance
- Soins continus en dehors des établissements
  de soins actifs

4. Aider les fournisseurs à soutenir les patients
- S'assurer que le Canada a une offre suffisante
  de ressources humaines pour le secteur
  de la santé
- Adoption plus efficace des technologies
  de l'information en santé

5. Intégrer l'imputabilité et la responsabilité à tous les niveaux
- Besoin d'imputabilité du système
- Besoin de gestion du système

«L'AMC reconnaît qu'aucune de ces orientations ne pourra à elle seule transformer notre système de santé. Elles ne constituent pas non plus une liste exhaustive de mesures, car il y a beaucoup d'autres orientations qu'il est possible de prendre pour appuyer notre vision. Nous croyons toutefois que ce cadre contient les orientations nécessaires pour progresser vers un système plus efficace, plus fonctionnel et davantage axé sur les patients que les Canadiens méritent.»

Il appert donc qu'il est possible de changer le système de santé et que, même dans un contexte de vieillissement de la population, d'augmentation des coûts en termes de technologie et de médicaments, des changements sont non seulement possibles, mais essentiels. D'autres pays y ont pensé et y sont parvenus. Ici, d'autres personnes et d'autres groupes y réfléchissent aussi. Pour y arriver, le public doit aussi se mobiliser et réclamer, voire exiger à hauts cris, ces changements. Et c'est là l'objectif premier de ce livre.

Chapitre 5

Une question de gros sous

C omme dans l'élaboration de tout nouveau projet, le financement est souvent le nerf de la guerre. Avec un organisme paragouvernemental, le consommateur serait en droit d'exiger des économies de coûts et un meilleur service. L'adéquation n'est pas si étonnante qu'elle ne le semble. Il faut croire qu'au fil des dix ou vingt dernières années, nous avons assisté à un phénomène inverse et à ce point récurrent que l'inverse nous est devenu presque acceptable : une augmentation des coûts accompagnée d'une diminution des services. Apprendre qu'il y a moins de 12 heures d'attente à l'urgence d'un hôpital est devenu une bonne nouvelle. Et accepter une facture de 200 $ de plus par année se fait avec résignation et dans une indifférence quasi totale.

Santé-Québec doit inverser la vapeur en offrant plus de services à des coûts moindres. Tout le monde le sait, équilibrer un budget implique soit une augmentation des revenus, soit une diminution des dépenses ou, encore mieux, une combinaison des deux. Nous devons malheureusement l'avouer, diminuer les dépenses finit le plus souvent en vœux pieux. Il faudra donc faire preuve d'imagination, améliorer la gestion des services et l'orientation des soins, et couper aux quelques endroits encore possibles tout en cherchant des nouvelles sources de revenus. Il serait illusoire de prétendre ici avoir trouvé toutes les solutions, mais au moins une s'impose : ne pas avoir peur de poser toutes les questions afin de susciter une vision d'organisation différente. En d'autres termes, tout peut et doit être remis en question. Il ne devrait exister aucune vache sacrée, et de sincères discussions devront s'établir tant sur la gestion que sur la distribution des soins. De plus, afin d'atteindre ces objectifs, nous devons procéder à une véritable régionalisation tant au niveau décisionnel qu'opérationnel.

Commençons donc par examiner quelques mesures qui pourraient générer des revenus arrivant directement dans les coffres de Santé-Québec.

Quelques voies exploratoires pour augmenter les revenus de Santé-Québec

1) Les taxes spéciales à la consommation

Le fait que le tabac joue un rôle important dans différentes pathologies devrait inciter le gouvernement à y appliquer deux taxes spéciales, l'une touchant les compagnies productrices et l'autre le consommateur. Le montant et les modalités d'application demeurent à définir, mais une condition *sine qua non* s'impose : les argents ainsi récoltés doivent être acheminés directement à Santé-Québec qui pourrait les appliquer aux pathologies provoquées par l'usage du tabac.

Le même raisonnement pourra s'appliquer à la malbouffe, aux divers sucres et graisses. Tous reconnaissent le rôle de l'embonpoint et de l'obésité dans diverses maladies (problèmes cardiovasculaires, diabète, divers cancers, etc.). Ici encore, tant le producteur, le distributeur et le consommateur devront être mis à contribution. Ainsi tous demeurent libres de leurs choix alimentaires, mais devront payer plus si ces choix contribuent à nuire à leur santé. Le calcul est fort simple : si pour chaque burger, chaque pizza, chaque frite, chaque boisson sucrée vendus, quelques cents étaient remis par le vendeur et quelques-uns par le consommateur, il est à prévoir une pluie de plusieurs millions de dollars annuellement dans les coffres de Santé-Québec. À titre d'exemple, le Danemark, dont la population ressemble en nombre à celle du Québec, a adopté cette mesure. Bruno Geoffroy écrit dans *Protégez-vous* :

«Au Danemark, une taxe controversée sur les gras saturés est désormais prélevée. Cette taxe, imposée pour les dix prochaines années, vient s'ajouter à une taxe sur les sodas déjà en place. Les autorités danoises estiment qu'elle générera près de 270 millions de dollars par an. De quoi financer une partie des programmes de santé publique[19].»

L'opinion publique serait favorable à une telle taxe. Dans un article paru dans *La Presse* du 13 mai 2010, on peut lire, sous la plume de Lia Lévesque, journaliste à la Presse canadienne à Montréal:

«Les trois quarts des Québécois et presque autant de Canadiens seraient favorables à l'instauration d'une taxe spéciale sur les boissons énergisantes et les boissons gazeuses si les autorités en investissaient les revenus dans la prévention de l'obésité. Plus précisément, ce sont 77% des Québécois et 70% des Canadiens qui se disent favorables à l'instauration d'une telle taxe, dont les revenus permettraient d'investir dans la prévention de l'obésité[20].»

Encore ici, la même condition obligatoire s'applique: tous les argents récoltés doivent aboutir chez Santé-Québec et non dans un fond consolidé gouvernemental.

2) Investissement en pharmaceutique

Santé-Québec devrait être partie prenante et jouer un rôle actif dans la démarche visant la recherche,

19. http://www.protegez-vous.ca/sante-et-alimentation/taxer-la-malbouffe.html dernière consultation le 28 janvier 2011.
20. http://www.cybcrprcssc.ca/vivrc/sante/nutrition/201005/13/01-4280130-les-quebecois-favorables-a-une-taxe-sur-les-boissons-sucrees.php dernière consultation le 24 janvier 2011.

la production et la mise en marché des médicaments. En conséquence et en toute logique, une partie des retombées économiques issues de la distribution de nouveaux médicaments devrait revenir dans les coffres de Santé-Québec. Il sera donc souhaitable d'établir des partenariats bien définis avec l'industrie pharmaceutique indiquant clairement les rôles et le *modus operandi* de chacun des intervenants, afin de permettre une saine compétition entre les diverses compagnies pharmaceutiques, de favoriser l'émergence de nouveaux médicaments au Québec tout en préservant l'autonomie et l'indépendance des professionnels.

Présentement, les pressions et les influences que les sociétés pharmaceutiques exercent sur les médecins et sur les assurances-médicaments sont bien documentées. D'une part, et cela est bien légitime, les sociétés pharmaceutiques doivent informer les médecins des nouveaux médicaments disponibles et des nouvelles études concernant les effets des diverses médications. Mais la ligne est extrêmement ténue entre information et vente sous pression. Bien sûr, à l'instar des autres milieux médicaux, l'industrie pharmaceutique s'est dotée d'un code d'éthique de plus en plus restrictif. Malheureusement, tous n'y adhèrent pas avec la même conviction, contournant les règles édictées, et les risques de dérapage existent toujours. De plus, et cela n'est pas négligeable, la disponibilité et la distribution de l'arsenal médicamenteux exerce une influence directe sur les coûts du système, sur la distribution des soins et sur les différences dans les règles d'utilisation des ressources. Par exemple, si de nouvelles recherches arrivent à démontrer que le taux admissible de cholestérol sanguin n'est plus de 7, mais devrait plutôt être de 5, un large pan de la population se verra prescrire plus hâtivement des statines afin de mieux prévenir l'hypercholestérolémie. À ce coût direct, le patient achetant *plus tôt dans sa vie* des statines ou autres médicaments, s'ajoute le fait que des examens sanguins et des suivis périodiques arriveront aussi plus tôt dans la vie de ce patient, tant et si bien que des ressources devront être disponibles pour faire les prélèvements sanguins, les analyses de laboratoire et le suivi des résultats par le médecin traitant.

Poursuivons le raisonnement et supposons qu'une recherche ultérieure sur les taux admissibles du cholestérol sanguin paraisse cinq ans plus tard. Deux scénarios sont possibles. Dans le premier, la recherche montre que les résultats antérieurs ont été erronés et qu'en réalité, abaisser les niveaux admissibles de cholestérol n'a rien changé aux survies, ni à la fréquence des problèmes cardiaques. Dans cette hypothèse, pendant cinq ans, les coûts en santé auraient augmenté pour rien. Dans le second scénario, c'est l'inverse qui survient : l'abaissement des taux de cholestérol ayant provoqué une augmentation des survies et ayant diminué le nombre d'événements cardiaques, il n'est pas sûr qu'il s'agisse ici d'une économie pour le système de santé, car les gens qui vivent plus longtemps consommeront davantage de médicaments ainsi que tous les autres services de santé dont ils auront besoin durant ces années de vie *supplémentaires*.

Dans un cas comme dans l'autre, les coûts du système augmentent. Voilà pourquoi Santé-Québec doit être partie prenante dans l'industrie pharmaceutique, et même devenir partenaire en investissant dans certains domaines.

Dans un article que j'ai publié dans la revue *L'Actualité médicale* du 19 janvier 2011, je soulignais un exemple qui pourrait facilement se multiplier :

« Il convient de souligner particulièrement les travaux du Dr Harold Jennings, un chercheur canadien au CNRC, récipiendaire du prestigieux prix Galien en 2006, qui a mis au point le vaccin synthétique contre la méningite. Ce vaccin a permis de sauver ou d'améliorer la vie de centaines de bébés et de jeunes enfants partout dans le monde. De plus, le brevet de ce vaccin seul a permis au CNRC de récolter plus de vingt millions de dollars à ce jour[21]. »

On parle ici d'un chercheur. Combien en comptons-nous au Québec ? Combien participent à des recherches en pharmaceutiques ? Si on multiplie l'exemple du Dr Jennings par un chiffre conservateur de 10, on parle quand même de quelques centaines de millions de dollars.

---

21. Jacques Beaulieu, « Le premier vaccin », *L'Actualité médicale*, 19 janvier 2011, Vol. 32, n° 1, page 82.

3) Le dossier santé informatisé

Supposons que vous ayez l'idée de créer une carte de crédit qui, d'après vous, surclasserait ou du moins offrirait de nouveaux services aux consommateurs. Bien sûr, votre carte devra pouvoir fonctionner avec tous les guichets automatiques existants, avec toutes les banques et avec les équipements des magasins, restaurants, hôtels, station-service et autres. Vous avez deux choix. Ou bien vous créez votre carte en fonction de votre propre système informatique et vous demandez à tous les autres de modifier leurs systèmes pour pouvoir reconnaître votre carte. Les chances sont grandes que les banques, les propriétaires de commerce et les autres fournisseurs de services ne voudront pas changer leur système pour s'adapter à votre carte. Le deuxième choix, le seul qui ait des chances réelles de fonctionner, sera pour vous de créer votre carte et de l'ajuster de sorte à ce qu'elle s'adapte à tous les systèmes existants.

En matière de santé, le gouvernement travaille à mettre sur pied un guichet informatisé. Un peu comme une carte de crédit qui vous permet de retirer de l'argent d'un guichet en Alaska ou au Kenya, le dossier informatisé donnera instantanément à tous les services de santé accès à votre dossier médical, que votre dernier examen ait eu lieu à Montréal ou à Mont-Laurier. Il pourra aussi contenir la liste des médicaments que vous consommez. Les avantages d'un tel système sont incontestables. Une personne s'effondre dans un lieu public, elle est amenée à l'hôpital ct, immédiatcment, les professionnels qui l'accueillent ont accès à tous ses renseignements médicaux. Non seulement cela peut-il aider à parvenir à un diagnostic plus rapidement, mais le dossier de santé informatisé peut éviter des temps d'attente et des examens inutiles (par exemple : un *scan* a été fait la veille sur ce patient, les médecins ont un accès direct aux résultats et n'ont pas à refaire un autre *scan*). En somme, le dossier informatisé en santé permet d'accroître la qualité des services tout en diminuant les coûts. Nous l'avons vu au chapitre 3, les pays qui ont inclus dans leur système de santé le traitement informatique des dossiers de santé en sont sortis gagnants.

L'infrastructure existe déjà
Tous les hôpitaux ont un système informatique. Tous les hôpitaux ont une ligne directe avec le MSSSQ, ne serait-ce que pour faire valider les cartes d'assurance maladie.

Toutes les pharmacies sont informatisées d'une façon ou d'une autre, et elles sont toutes branchées sur le MSSSQ, ne serait-ce que pour se faire rembourser les médicaments couverts par l'assurance médicament.

Les cabinets de médecins sont de plus en plus informatisés.

Pour résumer, l'équipement est disponible partout et l'expertise aussi. Il ne manque au gouvernement que de créer un programme pouvant s'arrimer à tous ces systèmes existants. Pourtant le constat actuel en est un d'échec. Voici à cet effet ce que raconte Sophie Cousineau dans *La Presse* du 4 mai 2011 :

«Cela fait si longtemps que l'on parle des errements du dossier santé informatisé – c'est le quatrième rapport du vérificateur général du Québec qui s'y intéresse – que ce fiasco est presque considéré comme banal. Et pourtant, et pourtant, cela dépasse l'entendement.

«Résumons l'affaire en quelques lignes. Cela va coûter deux fois et demie plus cher que prévu, soit 1,4 milliard de dollars au bas mot. Comme le gouvernement a changé d'idée en cours de route, le système devrait être livré avec cinq années de retard sur l'échéancier, soit en 2015 au lieu d'en 2010.

«Entre-temps, des consultants informatiques s'en mettent plein les poches. Plus de la moitié du budget (52 %) ira en honoraires à des consultants externes, une proportion nettement plus élevée que dans les autres provinces qui ont informatisé les dossiers de leurs patients[22].»

D'où viennent tous ces errements ?

Cela revient à notre exemple de création d'une nouvelle carte de crédit. Sauf qu'ici, le gouvernement,

---

22. http ://blogues.cyberpresse.ca/lapresseaffaires/cousineau/2011/05/04/un-dossier-sante-qui-donne-des-ulceres/ dernière consultation le 20 juin 2011.

contre toute logique et à l'encontre des opinions de toutes les parties impliquées, a pris le parti de créer son propre système informatique. Lorsqu'il eut terminé son travail, il demanda à tous les intervenants du milieu de changer le système avec lequel ils travaillent depuis des dizaines d'années, afin de s'adapter eux-mêmes au nouveau système mis au point par le Ministère. Bien sûr, il reçut une fin de non-recevoir sans équivoque. Le Ministère doit maintenant changer son fusil d'épaule et faire ce qu'il aurait dû faire dès le début : monter un système informatique capable de s'adapter à ceux qui existent déjà dans le réseau.

N'empêche que, malgré les coûts excédentaires et les retards, nous n'avons pas d'autre choix en tant que société que de réaliser ces innovations informatiques en santé. Aujourd'hui, il en va de la qualité des soins et d'un meilleur contrôle des coûts. Dans quelques années, il deviendra de plus en plus difficile de se faire soigner dans d'autres pays ou même dans d'autres provinces si le dossier de la santé des citoyens n'est pas accessible.

Diminuer les coûts

En examinant attentivement chacun des points suivants, il y aurait moyen de récupérer des millions de dollars gaspillés présentement par simple manque de vision :

- Éliminer la multiplication des consultations et des actes non pertinents;
- Établir des règles de pertinence;
- Mettre en place des choix de société;
- Augmenter l'accessibilité aux services diagnostiques;
- Établir des normes spécifiques sur l'exercice des règles d'utilisation des ressources;
- Distinguer administrativement et budgétairement le secteur de la santé de celui du social;
- Assujettir les groupes de pression (toujours nécessaires) aux choix de société et aux besoins de l'ensemble du système;
- Mettre sur pied un système de santé assujetti à un organisme paragouvernemental;
- Mettre en place une information continue à la population via des organismes et des médias reconnus;
- Investir dans les marchés pharmaceutiques, technologiques et informatiques en collaboration avec des organismes privés parallèles;
- Mettre en place une réelle régionalisation de l'organisation du système de santé;
- Établir des normes relatives à la collaboration avec les firmes privées et assouplir les règles de partage des activités professionnelles entre le public et le privé;
- Réévaluer les structures salariales des professionnels et autres intervenants de la santé en fonction des choix de société et des objectifs établis.

Durant l'écriture de ce livre, deux choses m'ont marqué: les actions du Ministère qui n'apportent jamais les résultats escomptés et l'indifférence quasitotale des citoyens et des médias d'information. Au début de décembre 2010, le ministre Bolduc annonce un plan visant à réduire les dépenses du ministère de quelque 270 millions de dollars avec son plan d'amélioration de l'efficience dans la dispensation des services. On en parla peu et on n'y crut encore moins. Jean-Marc Salvet du quotidien *Le Soleil* écrivait à juste titre:

« Le ministre de la Santé a opté pour un remède homéopathique plutôt que pour une chirurgie afin de réduire la croissance des dépenses dans le réseau de la santé et des services sociaux.

« Les partis d'opposition affirment que la situation exigeait et exige des solutions beaucoup plus audacieuses que celles présentées jeudi par Yves Bolduc. Pour l'adéquiste François Bonnardel, c'est "un plan de peureux" qu'il a livré.

« Le ministre s'est refusé à éliminer les agences de santé. Cette idée avait circulé après la publication d'une étude commandée l'an dernier par le ministre des Finances, Raymond Bachand[23]. »

---

23. Jean-Marc Salvet, *Réduction des dépenses en santé. Médecine douce de Bolduc,* Le Soleil, 9 décembre 2010, http://www.cyberpresse.ca/le-soleil/actualites/sante/201012/09/01-4350867-reduction-des-depenses-en-sante-la-medecine-douce-de-bolduc.php?utm_categorie interne=trafficdrivers&utm_contenuinterne=cyberpresse_lire_aussi_4350993_article_POS2 dernière consultation le 24 janvier 2011.

Ayant pris conscience de ce plan qui permettrait d'économiser environ 2 % au niveau des dépenses et du peu de crédibilité qu'on y consacrait, je me suis dit que c'est avec raison si les médias n'avaient pas accordé beaucoup de place à cette tentative de marketing gouvernemental.

Vers la fin janvier 2011, je trouve dans l'infolettre hebdomadaire du site Gestion Santé une nouvelle qui se lit comme suit : « Royaume-Uni : réforme majeure du système de santé », sous la plume de Christian Leduc. Celui-ci écrit :

« Afin de s'attaquer à la crise économique qui frappe le Royaume-Uni de plein fouet, le gouvernement britannique lance cette semaine une imposante réforme administrative du système de santé.

« Selon le premier ministre conservateur David Cameron, la réforme au ministère de la Santé (National Health Service) est la plus importante entreprise depuis 1948. Elle vise à éliminer la bureaucratie superflue du système, sans toucher aux soins.

« La réforme vise uniquement le système de santé de l'Angleterre, car ceux de l'Écosse, du pays de Galles et de l'Irlande du Nord sont gérés de façon autonome.

« L'objectif financier du gouvernement est d'économiser 20 milliards de livres (32 milliards de dollars canadiens) d'ici 2015. Cette somme représente environ 4 % du budget total en santé, qui s'élève à 100 milliards de livres (159 milliards canadiens).

«Essentiellement, le plan du premier ministre conservateur est de faire disparaître plusieurs échelons hiérarchiques du National Health Service, ce qui se traduira par des réductions d'effectifs de l'ordre de 24 000 postes.

«Dès 2013, le nouveau système retirera au ministre de la Santé le contrôle d'une part importante du réseau pour le confier à des groupes de médecins généralistes formés dans les différentes régions de l'Angleterre[24].»

Sachant que le système de santé britannique fut le modèle, en 1948, de celui du Canada, je m'attendais à ce qu'on en parle abondamment ici dans les jours qui suivirent la manchette. Mais tel ne fut pas le cas. On en parla en France, le 19 janvier, le *Figaro* titrant : «Réforme très libérale de la santé au Royaume-Uni[25]». «Pour arriver à épargner environ 4% du budget annuel en santé, le gouvernement de M. Cameron n'hésite pas à supprimer totalement des échelons inutiles dans la gestion de la santé.»

Dans cet article du *Figaro* signé par Cyrille Vanlerberghe, on peut lire aussi :

24. http://www.professionsante.ca/gestionnairesdesante/gestion/finances-budgets/royaume-uni-reforme-majeure-de-la-sante-8378 dernière consultation le 24 janvier 2011.
25. http://www.lefigaro.fr/conjoncture/2011/01/19/04016-20110119ARTFIG00715-reforme-tres-liberale-de-la-sante-au-royaume-uni.php dernière consultation le 24 janvier 2011.

«À l'heure actuelle, les hôpitaux publics anglais sont contrôlés par une chaîne hiérarchique qui va des échelons régionaux jusqu'au ministère de la Santé tout en haut. Dès 2013, le nouveau système retirera le contrôle au ministre de la Santé pour donner le pouvoir aux médecins généralistes, les GP *(general practitioners)*. Ces médecins de famille, réunis en groupements régionaux, auront la responsabilité de gérer jusqu'à 80 milliards de livres sur un budget total de plus de 100 milliards de livres. En fonction de leurs besoins et de leurs objectifs, ils définiront des objectifs de soins et pourront mettre en concurrence des hôpitaux publics et des structures privées pour fournir des services au meilleur prix[26].»

Il y a anguille sous roche

Alors qu'on constate les mesures draconiennes que le gouvernement britannique s'apprête à apporter pour diminuer ses coûts en santé d'environ 4%, ici on croit qu'avec quelques efforts de vocabulaire du type «plan d'amélioration de l'efficience dans la dispensation des services et un ou deux vœux pieux», le Ministère espère épargner 2% de l'enveloppe globale

---

26. http ://www.lefigaro.fr/conjoncture/2011/01/19/04016-20110119ARTFIG00715-reforme-tres-liberale-de-la-sante-au-royaume-uni.php dernière consultation le 24 janvier 2011.

sur une période de cinq années. De là ma deuxième constatation : le mal est plus profond qu'on veut bien nous le laisser croire.

Il convient de signaler les moyens que met en œuvre le gouvernement de M. Cameron pour gérer le système de santé. En réalité, les voies qu'il préconise sont en tous points semblables à celles proposées dans ce livre :

1) Retirer la gestion du système de santé au gouvernement.

2) Régionaliser la gestion de la santé.

Il semble donc que nous nous orientons dans la bonne direction en recommandant que notre système de santé soit géré par un organisme paragouvernemental qui aurait pour tâche, entre autres, de régionaliser le budget et la dispensation des soins tout en harmonisant les secteurs public et privé de la santé dans une philosophie alliant baisse de dépenses et, surtout, augmentation des revenus.

Chapitre 6

Étapes vers le changement

*I*ndignez-vous, voilà le titre d'un best-seller de 20 pages (800 000 exemplaires vendus en quelques semaines) de Stéphane Hessel, un auteur français. L'homme, aujourd'hui âgé de plus de 90 ans, a été une figure de la Résistance durant la Seconde Guerre mondiale. Dans une entrevue accordée à Frabrice Randoux, on peut lire : « Mais le vieil homme, qui plaide pour une candidature de la patronne du Parti socialiste Martine Aubry, se veut lucide, admettant que l'indignation n'est pas un programme électoral. *"Indignez-vous !,* ce n'est pas grand-chose, c'est peut-être le premier étage d'une fusée "*,* résume-t-il[27] ».

Même si les raisons de s'indigner ne manquent pas, du moins en ce qui concerne le sujet du présent ouvrage, il semble plutôt que la résignation soit devenue l'apanage de notre population. En réalité, toutes les promesses électorales, toutes les mesures

---

27. http://www.cyberpresse.ca/arts/livres/201101/02/01-4356675-indignez-vous-devient-un-best-seller.php dernière consultation le 6 janvier 2011.

qui devaient régler les problèmes et toutes les tentatives de solutions n'ont rien donné. Lorsque le manque d'argent fut invoqué, on augmenta les budgets en santé, et tous ont cru que le problème se réglerait. Mais non! Alors ce fut l'excuse de la pénurie de médecins, d'infirmières, etc. On attendit patiemment le temps nécessaire à l'arrivée de nouvelles cohortes, mais le problème n'est pas encore résolu. On appliqua des mesures de gestion, en apparence fort efficaces, aux règles d'opération des urgences et, encore là, ce fut un constat d'échec. En réalité, l'opinion du public sur son système de santé a suivi les 5 phases du deuil anticipé telles que définies par la psychiatre américaine Elizabeth Kübbler-Ross:

1) Le déni

Lorsqu'on vous annonce que vous souffrez d'une terrible maladie, le premier réflexe est le déni. *On s'est trompé de diagnostic, ce n'est pas possible que ça m'arrive à moi, je n'y crois* pas; voilà ce qu'on entend très souvent. En ce qui concerne notre système de santé, le déni fait partie de notre quotidien. Depuis longtemps, on nous incite à croire que nous avons le meilleur système au monde. Même des délégations viennent d'un peu partout à travers la planète pour prendre des leçons sur notre système de santé. Remarquez qu'aucun pays n'a copié notre modèle, mais nous avons continué à nous gargariser d'illusions comme si nous avions le *plusse meilleur* système de santé.

2) La colère

Encore ici, à l'annonce d'une tragédie, la colère représente le deuxième réflexe le plus fréquent. Le raisonnement pourrait se résumer ainsi : «*C'est injuste, je n'ai rien fait pour m'attirer cela, la vie me fait une vacherie !*» Malheureusement, en ce qui concerne notre disponibilité à contester, la colère n'est pas l'apanage du peuple québécois. De mon propre souvenir, la dernière fois que j'ai vu le bon peuple en colère fut le 17 mars 1955 alors qu'une émeute éclata devant le Forum de Montréal à la suite de la décision de Clarence Campbell de suspendre Maurice «le Rocket» Richard. La fois précédente fut la révolte des Patriotes en 1837. Attendre une manifestation de colère des Québécois face à leur système de santé est donc quelque peu utopique. D'autant plus que lorsqu'on réalise vraiment que le système fonctionne mal, on est souvent soit trop vieux ou trop malade pour organiser quelque manifestation que ce soit.

3) La négociation

Si pour ce qui est de la colère, nous faisons plutôt piètre figure, nous sommes par contre les champions de la négociation. La liste interminable des commissions d'enquête et la succession des ministres en titre nous fournissent, si tant est qu'il y ait besoin, la preuve de notre patience et de notre endurance en termes de négociation.

4) *La dépression*

Lorsqu'on se rend finalement compte qu'il n'est plus possible de renier la situation, que notre colère vis-à-vis celle-ci s'est révélée tout aussi inefficace que nos tentatives multiples de négociation, arrive un stade où nous réalisons notre impuissance à régler le problème. Il peut y avoir alors une certaine dépression. Cette dépression se fait sentir par un sentiment d'inaction. En santé, la tactique fut assez simple, bien que son résultat fut des plus complexes. En somme, s'étant ingéré dans cette sphère de notre vie, l'État en vint à nous faire accepter que la santé et son système sont des plus complexes. Devant cette édification de la complexité, il devient plus facile de baisser les bras.

5) *L'acceptation*

Bien souvent, vous entendrez parler ici de résignation. Une fois que toutes les étapes précédentes ont été traversées, le patient en vient à se résigner à son sort. Pourtant, telle n'est pas la solution. Il y a toute une différence entre la résignation et l'acceptation. Dans la résignation, il ne reste que peu de place à l'action. Accepter le fait que notre système de santé en soit rendu à un tel niveau de coûts avec si peu d'accessibilité est une chose, se résigner à ce qu'il en soit toujours ainsi en est une autre.

Il est donc non seulement possible mais hautement souhaitable de comprendre à quel point nous en avons peu pour notre argent, et que nous sommes en droit d'exiger plus en terme d'accessibilité aux soins de santé.

Pour ce faire, nous devrons accepter de changer les choses.

Des changements dans le chaos

Au moment d'écrire ces lignes, il semble jaillir de partout une foule de nouvelles approches, chacune semblant apporter la solution. Si certaines initiatives semblent prometteuses, d'autres sont plus douteuses. Prenons l'exemple de l'arrivée du secteur privé en santé. Dans le système actuel de santé, il est tout aussi utopique de croire que le privé apportera une solution afin de désengorger le public, d'accroître l'accessibilité et de diminuer les coûts, qu'il est insensé de croire qu'il faille abolir le secteur privé en santé.

Il convient de souligner encore une fois que le système public coûte actuellement quelque 28 milliards de dollars soit près de 4 000 $ par habitant (28 milliards / 7 millions d'habitants = 3 857,14 $ par habitant). La personne qui décide par exemple de souscrire à une coopérative de santé entièrement privée pourra payer 1 000 $ d'abonnement annuellement. Ce 1 000 $ n'est en aucun cas une économie pour le système publique de santé, car les hôpitaux dont pourrait avoir besoin cette personne doivent continuer à fonctionner et à offrir des services. Donc, la personne en question paiera en bout de ligne 4 857,14 $ et le tout, sans économie réelle pour le système publique.

En réalité, dans l'état actuel des choses, le privé provoquera une augmentation des coûts de santé. Quant à l'accessibilité, un calcul simple nous démontre que si 10 % de la population faisait affaire avec le privé (ce qui serait énorme, présentement, on parle d'à peine 1 %), lorsque l'attente en salle d'urgence s'établit à 18 heures, il y aurait une diminution de 1,8 heure, donc l'attente serait encore de plus de 16 heures. Ce n'est pas là un grand gain en accessibilité.

Dans le système actuel de santé, l'État s'occupe à 100 % des coûts et des services qu'il offre à la communauté. Dans un tel régime, c'est l'individu qui se trouve frustré.

Dans un système privé, c'est l'individu qui est priorisé, les aspects sociaux et communautaires ne faisant pas naturellement partie du contrat qui lie un fournisseur de services à un consommateur.

Tant que le système de santé sera géré par un Ministère, ces deux solitudes inconciliables existeront : le privé et le public. Dans un système administré par un organisme paragouvernemental, des règles de collaboration et de financement entre le public et le privé pourraient faire en sorte que le système public soit davantage axé sur une philosophie d'entreprise. Le secteur privé devra lui aussi faire son bout de chemin en adoptant des directives qui tiennent compte des impératifs sociaux liés à la santé. D'ailleurs, le milieu public commence à exprimer ce besoin. Dans un article paru récemment, le docteur Hartley Stern, directeur général de l'Hôpital général juif de Montréal, exhorte les gens d'affaires à s'impliquer dans la gestion hospitalière. Voici ce qu'a écrit à cet effet Christian Leduc dans le magazine web *Gestion Santé* :

«Le réseau public de santé a besoin du soutien et de l'expertise des gens d'affaires s'il veut faire face aux énormes défis qui l'attendent, estime le directeur général de l'Hôpital général juif de Montréal.

«Dans une conférence qu'il a donnée la semaine dernière [NDA : janvier 2011] devant la Chambre de commerce du Montréal métropolitain, le Dr Hartley Stern a soutenu que de nombreuses réformes sont à prévoir pour permettre aux établissements de santé d'être plus efficaces.

«À ce chapitre, une contribution plus grande des gens d'affaires permettrait aux gestionnaires du réseau public d'accroître substantiellement leur expertise, a-t-il expliqué.

«Par exemple, davantage de gens d'affaires devraient siéger au sein des conseils d'administration des hôpitaux. "Ou si vous invitez régulièrement l'un de nos gestionnaires à recevoir les mêmes formations que vous payez à vos propres gestionnaires, c'est un autre moyen de nous aider grandement", a-t-il ajouté[28].»

---

28. http://www.professionsante.ca/gestionnairesdesante/actualites/hopitaux-etablissements/dr-hartley-stern-le-reseau-public-a-besoin-des-gens-daffaires-8320 dernière consultation le 26 janvier 2011.

Il n'y a nul doute dans mon esprit que le privé acceptera de collaborer avec le public. Les seules barrières actuelles sont la gestion à court terme dont souffre le système et le manque de convivialité dont il fait preuve vis-à-vis le secteur privé. En présence d'un organisme paragouvernemental, ces réticences auraient tendance à s'estomper et le jumelage des deux parties contribuerait certes à l'amélioration du système de santé.

Parmi les autres initiatives actuelles, il y a celle des coopératives de santé qui naissent un peu partout, mais particulièrement en milieu rural. Dans un dossier paru dans l'*Actualité médicale* du 19 janvier 2011, Michel Dongois écrit :

«Bien jeunes et déjà décriées, les coopératives de santé sont le cri du cœur de milieux qui refusent de voir disparaître leurs services médicaux de proximité[29].»

Le problème est bien plus vaste. La santé représente ce qu'on pourrait qualifier de service essentiel. Lorsqu'il devient difficile d'avoir accès à ce service, toutes sortes de solutions sont tentées pour répondre à la demande. La revue *Protégez-vous,* dans un dossier à son édition de janvier 2011, constate :

«Au printemps dernier, 150 habitants de la Montérégie ont participé à une surprenante loterie. Les prix n'étaient pas une luxueuse voiture ou un

---

29. Michel Dongois. «Les coops de santé une controverse», *L'Actualité médicale*, 19 janvier 2011, Vol. 32, N° 1, page18.

séjour de rêve dans les Antilles, mais... un médecin de famille !

« Organisée pour la bonne cause – financer la construction d'une maison de soins palliatifs à Boucherville –, l'initiative de la fondation Source bleue a néanmoins choqué une grande partie du monde médical. Au point que le Collège des médecins du Québec (CMQ) a demandé à ses membres de ne pas y participer, à la fois pour des questions d'éthique et de "bon sens".

« Selon le Dr Louis Godin, cet épisode illustre le manque criant d'accès aux soins de première ligne dans la province[30]. »

Soulignons aussi l'émergence des formules «tout inclus». Ainsi le 21 janvier 2011, on pouvait lire dans le *Journal de Montréal* sous la signature de Marc-Yvan Lemay :

« MÉDECIN GARANTI À 499 $
« MEDSYNC CONTINUE D'OFFRIR DES BILANS DE SANTÉ AVEC SUIVI ASSURÉ PAR UN MÉDECIN

«Même si elle fait l'objet d'une enquête de la RAMQ, et que le Collège des médecins a inscrit plusieurs chefs d'infraction contre l'un de leurs médecins, la compagnie Medsync continue d'offrir l'accès à un médecin, à la condition de subir un bilan de santé à 499 $, avant le premier rendez-vous. L'un des médecins de Medsync reçoit des patients au

---

30. http://www.protegez-vous.ca/sante-et-alimentation/trouver-un-medecin-de-famille.html dernière consultation le 26 janvier 2011.

deuxième étage de cet immeuble de la rue Churchill, à Greenfield Park. Il se consacre toutefois exclusivement au suivi des patients qui ont subi un bilan de santé annoncé à 499 \$[31].»

Ce qu'il faut retenir de tout ceci est que tant qu'il n'y aura pas d'action concertée, de politique bien établie et de gestion à long terme, de telles loteries et de telles offres continueront de fuser de toutes parts. Santé-Québec a besoin d'un leadership fort pour instaurer ce changement.

Ceux qui peuvent assurer un leadership

Pour provoquer ce changement, certains devront reprendre le flambeau. Ce groupe devra obligatoirement être formé de membres de la population, de représentants des malades, de gestionnaires actuels du système et de membres du personnel soignant. Le gouvernement devra aussi être impliqué dans ce processus, tant dans l'élaboration des fondements de Santé-Québec que durant la période de passation des pouvoirs du Ministère vers l'organisme parapublic.

---

31. Marc-Yvan Lemay, « Médecin garanti à 499 \$ », *Le Journal de Montréal*, le 21 janvier 2011, page 7.

Première étape :
Dépolitiser la santé

Comme le disait le Dr Yves Lamontagne : «Les gouvernements ne doivent pas faire de la politique avec la santé, mais ils doivent faire des politiques de santé.» Nous l'avons souvent souligné, la santé doit cesser d'être gérée selon des pressions électoralistes. Si la Société des alcools du Québec était gérée comme un ministère, elle serait à la merci de tous les groupes de pressions présents au Québec. Avant d'accepter de distribuer un vin, elle ne devrait plus se poser la question d'accepter ce vin dans son inventaire selon les lois usuelles du marché, mais devrait plutôt s'assurer que ledit vin provienne d'un vignoble du Québec, que celui-ci soit dans une région différente de ses compétiteurs pour assurer un mandat d'équité, que les bouteilles soient recyclables pour aider l'environnement, etc. En somme, tellement d'impératifs autres que ceux du libre marché devraient être pris en compte que, très tôt, la SAQ ne serait plus rentable et devrait être subventionnée.

Deuxième étape :
Réunir un conseil d'administration provisoire

Tel que souligné plus tôt, le deuxième objectif de ce livre est de rassembler un groupe de personnes prêtes à s'impliquer et aptes à apporter soutien et idées afin de constituer sur papier ce que sera Santé-Québec. Et ici, il faut plus que de la bonne volonté. Nous avons besoins des créateurs, des concepteurs, du personnel soignant, de hauts gestionnaires visionnaires prêts à fournir les efforts nécessaires, tant sur le plan des idées que celui des finances, pour mettre au monde Santé-Québec.

Troisième étape :
La passation des pouvoirs

Nous croyons sincèrement que lorsque nous présenterons un plan détaillé de ce que sera Santé-Québec au gouvernement, celui-ci sera des plus heureux de s'enlever cette épine au pied que représente pour lui et, depuis belle lurette, le MSSSQ. Même si certains ne sont pas d'accord avec cette idée, il est temps qu'on réalise que cela se fait présentement au Royaume-Uni, là même où le système de santé que nous connaissons aujourd'hui a pris naissance en 1948.

Chapitre 7
Santé-Québec :
les pour et les contre

A vant de continuer sur les nombreux avantages d'un organisme paragouvernemental comme Santé-Québec, il convient de se pencher sur les objections et questions auxquelles nous devons nous préparer à faire face.

Un budget de l'envergure du ministère de la Santé
ne peut pas être géré par une société d'État,
il ne doit l'être que par un ministère

Plusieurs questions sont soulevées par une telle affirmation. Le gouvernement n'aurait-il pas sa place dans cette société d'État ? Si oui, il garderait un œil sur ce budget, alors quel serait le problème ? Le mandat accordé à Santé-Québec ne serait-il pas plus adapté aux régions et aux besoins spécifiques tout en étant mieux à l'abri des impératifs électoraux et politiques ? Rappelons-le, cela se fait déjà avec la Société d'assurance automobile (SAAQ), la Commission de la santé et de la sécurité au travail (CSST), la Société des alcools du Québec (SAQ) et Hydro-Québec.

Une société d'État risque d'avoir des défauts,
tout comme le Ministère?

Bien sûr, elle pourra à l'occasion commettre des erreurs de gestion et même être contestée dans certaines décisions. Nul n'est à l'abri des erreurs. Mais Santé-Québec sera en mesure de corriger le tir rapidement grâce à une planification à long terme et une évolution continue par rapport aux besoins et aux correctifs nécessaires. Elle pourra même souscrire à des corrections en fonction de nouvelles priorités. Un gouvernement est moins bien placé pour faire preuve d'autant de capacité d'adaptation et ce, rapidement. Il est, rappelons-le, soumis à des exigences électoralistes et politiques. Il lui est quasiment impossible d'aller à l'encontre de la ligne de son parti politique, même si la situation en terme de santé publique le recommanderait.

On ne voit pas bien comment une société d'État
pourrait investir dans les technologies,
l'information et l'industrie pharmaceutique

Dans ces domaines, le gouvernement ne peut prendre des décisions judicieuses, car il est contraint à l'exercice à court terme, aux impératifs politiques et est souvent assujetti aux groupes de pression même quand ceux-ci ne représentent qu'un faible poids démographique. Par contre, une société d'État, de par son mandat et sa composition, est un organisme qui peut se comporter comme une corporation. Elle peut donc initier des projets rentables financièrement et socialement, collaborer avec des organismes privés et relever des défis à long terme. Les changements de gouvernements et des décideurs qui se suivent font en sorte qu'il leur est impossible d'avoir une marge de manœuvre comparable à celle d'une société d'État.

Le mode de représentation dans une société d'État est complexe et pourrait mener à des frictions pour l'exercice du pouvoir au bénéfice de l'un ou de l'autre des individus qui le composent

Il faut d'abord bien comprendre que de telles guerres de pouvoir peuvent tout autant exister au sein d'un ministère (ça s'est déjà vu). L'objectif est d'abord de réussir à réunir des représentants fiables, durables et remplaçables. La condition *sine qua non* est que ces représentants répondent aux objectifs et aux orientations définies par l'ensemble de la population. C'est là l'objectif à atteindre. Et ce sera certainement une grande amélioration par rapport à la situation actuelle, où le système est sous la tutelle d'un ministère qui a toujours le dernier mot.

*Est-il certain qu'une société d'État aurait plus de
liberté d'action qu'un ministère ?*

Plusieurs des arguments présentés plus haut nous l'ont déjà confirmé. De plus, un organisme parapublic jouit d'une plus grande capacité pour dialoguer et négocier avec d'autres corporations (secteur privé, assureurs, autres organismes paragouvernementaux). Ces organismes, tout comme Santé-Québec, évoluent au même rythme que la population en termes de changements de culture et de modes de vie à l'intérieur d'une société en constant remaniement.

*En quoi Santé-Québec aurait-elle plus
de collaboration et de participation de la part
des intervenants professionnels ?*

Tous ces groupes participant à l'administration de la société d'État seront désormais des collaborateurs plutôt que des employés avec qui l'État doit négocier. Leurs orientations et leurs objectifs ne seront plus édictés par le Ministère mais déterminés entre eux. Il n'est pas utopique de croire qu'un consensus social puisse émerger de ces groupes lorsqu'ils auront comme objectif commun la mise sur pied et la gestion de Santé-Québec. Au lieu d'être des fonctionnaires et employés de l'État comme c'est le cas présentement, chacun de ces groupes deviendra propriétaire à part égale d'une société d'État qu'ils géreront selon les besoins décidés par l'ensemble de la population.

Pourquoi la répartition des ressources financières
et humaines serait mieux gérée
par une société d'État?

Une société d'État aurait une plus grande autonomie pour ce qui est de l'identification des besoins.
Elle pourrait aussi établir un consensus plus large
quant à la répartition des ressources. Elle serait aussi
en mesure de créer des relations bipartites avec les
décideurs régionaux, corporatifs, sociétaires et communautaires. En d'autres termes, au lieu que la répartition des ressources financières et humaines
émane de dictats ministériels, elle serait établie par
divers groupes qui formeront son conseil d'administration. Une meilleure répartition des ressources en
fonction des besoins serait la base d'une gestion financière mieux concertée.

En somme, il s'agit de remettre entre les mains
de ceux qui s'y consacrent les rênes d'une société
d'État qui gérera le système de santé. Nous l'avons
vu, le gouvernement britannique remet entre les mains
des groupes de médecins la plus grande partie du
budget de son système de santé, soit près de 80 milliards de livres sur un budget total de 100 milliards:

«Il sépare le rôle du payeur (État) et les pour-
voyeurs de service. En termes d'incitations, l'objectif
de ce nouveau rôle de financement du gouvernement central est d'encourager l'échelon local à améliorer l'efficacité du système de santé en lui faisant
supporter le poids financier de ses décisions. Il

remet l'imputabilité aux groupements régionaux, qui décideront quels types de services sont les plus efficaces, ils donnent pleine latitude sur leurs choix ; par contre leur enveloppe budgétaire est fermée ; si le gestionnaire ne prend pas de bonne décision, il sera imputable. En lui donnant libre choix, il utilise le jeu de la concurrence afin de produire des gains d'efficacité, d'autant plus qu'une organisation décentralisée permet une plus grande adaptation aux innovations et aux changements. Dans tous ces types de système, les transferts de responsabilité en matière de gestion ou d'administration des soins ont tendance à réduire les gaspillages et à augmenter la productivité[32]. »

Les avantages d'une société d'État

Plus grande liberté d'action, autonomie, participation aux profits, définition plus claire des mandats et des objectifs, régionalisation véritable, voilà tous des avantages dont Santé-Québec pourra bénéficier par rapport à la gestion actuelle. Mais il est deux points essentiels sur lesquels nous devons insister plus particulièrement.

---

32. http ://www.quebecdroite.com/search/label/Minist %C3 % A8re %20de %20la %20sant %C3 %A9 dernière consultation le 26 janvier 2011.

Un changement de pensée

Le premier est un changement radical de pensée. Alors que pendant les années 1970, nous affichions en tant que peuple une fierté face à notre système de santé, aujourd'hui, nombreux sont ceux qui éprouvent une certaine gêne.

L'arrivée de Santé-Québec devra inverser cette tendance défaitiste.

D'une part, les étapes menant à sa réalisation se voudront rassembleuses. Il s'agira d'asseoir à une même table de réflexion des membres de diverses professions, des membres des comités de malades, des jeunes penseurs et des plus âgés, des syndicats et des gestionnaires actuels. Cet exercice sera le point de départ d'une unification des forces en présence pour se doter d'une société d'État, un organisme paragouvernemental capable d'imposer des solutions réelles afin de soigner adéquatement notre population.

D'autre part, l'élaboration des objectifs et des responsabilités de Santé-Québec marquera un point de départ plus que motivant, fournira à tous une nouvelle énergie pour construire l'organisme idéal et non plus une recherche de multiples solutions pour tenter de rafistoler un système de santé qui s'effrite de toutes parts. C'est un peu comme ériger les plans d'une nouvelle maison répondant aux besoins actuels plutôt que de réparer tantôt le toit, tantôt la plomberie, tantôt les fondations d'un édifice vétuste qui ne correspond plus aux besoins de la population.

Santé-Québec, c'est l'occasion unique de repartir à neuf, de bâtir un système adapté aux besoins actuels et futurs d'une société dans laquelle les gens auront le droit de vivre plus longtemps sans manquer de soins, tout en préservant les réalisations positives du système actuel.

Une ère de collaboration

Santé-Québec voudra aussi établir de nouvelles normes quant aux rapports entre les divers intervenants en santé. En séparant l'État payeur des dispensateurs de services, nous voudrons créer une dynamique unificatrice plutôt que la traditionnelle façon de gérer: diviser pour régner. Actuellement, plus les forces en présence sont divisées, meilleures sont les chances pour le Ministère d'arriver à ses fins. Si le médecin et l'infirmière d'aujourd'hui jouissaient encore de la même réputation que durant les années 1960, aucun ministère ne pourrait leur refuser quoi que ce soit sans que la population ne déclenche une émeute. Les divisions actuelles au sein des groupes en cause: médecins contre infirmières, médecins spécialistes contre médecins omnipraticiens, secteur public contre secteur privé, etc., ont entaché lourdement l'image de ceux qui nous soignent, au profit du système de santé uniquement administré par un gouvernement se présentant faussement en tant que défenseur de la veuve et de l'orphelin. Le bon docteur (et tout autre professionnel de la santé) est devenu le méchant loup et le Ministère s'est identifié au Protecteur du citoyen.

Santé-Québec sera pensé, formé et géré par tous ces groupes qui, aujourd'hui, s'affrontent. Il leur reviendra de décider des plans et des objectifs de *leur* système de santé, et de les appliquer. Nous avons ici une armée de professionnels, de médecins, d'infirmières et d'infirmiers qui ont à cœur la santé de leurs patients. Nous avons des gestionnaires de haut calibre susceptibles d'encadrer et, surtout, de favoriser l'accès aux soins. Nous avons des hauts fonctionnaires aguerris et compétents, capables d'une vision d'ensemble du présent et de l'avenir de la population québécoise. La réunion de toutes ces personnes de bonne foi dans la perspective d'un objectif commun ne peut que permettre un nouvel envol à un système véritablement adapté aux besoins de santé actuels et futurs de notre société.

Le temps des revendications sera remplacé par celui de la collaboration individuelle dans un objectif commun. Ceci peut sembler à première vue utopique, mais il n'en est rien. L'attente d'une décision venant d'en haut pour améliorer le système de santé est un passé révolu. La santé, c'est l'affaire du citoyen et des intervenants.

Au début des années 2000, j'ai eu le privilège de travailler avec la psychiatre Suzanne Lamarre, auteure du livre *Aider sans nuire, de la victimisation à la collaboration*, publié aux Éditions Lescop. L'auteure me résumait ainsi une partie de son ouvrage : en termes de relations humaines, l'histoire affiche trois grandes périodes : la première étant celle du dominant/dominé, le plus fort établissant sa loi et, en échange du respect de celle-ci, accordant sa protection au plus faible ; la deuxième ère est celle de la négociation où les plus faibles s'étant renforcés, ils font part de leurs requêtes aux plus forts et, à la suite d'une négociation, les voient acceptées ou refusées en tout ou en parties ; en cas de refus, il y a retour à l'ère du dominant/dominé et... le plus fort l'emporte. Avec l'arrivée de l'ère de la communication, une troisième voie s'ouvrira : ce sera celle de la coopération. Deux individus ou des groupes d'individus décident d'unir leurs efforts dans le but d'atteindre un objectif commun. Dans ce nouvel ordre, chacun établit ses objectifs individuels et les soumet à l'autre pour former une communauté dans un but recherché. Une fois l'objectif atteint, chacun est libre de se retirer ou de continuer. Dans un tel contexte, lorsqu'il y a problème, on peut toujours revenir à la formule de la négociation avant de se retrouver à l'étape dominant/dominé.

C'est dans ce temps nouveau que veut entrer Santé-Québec, une gestion de la santé qui se réclame de la coopération : coopération entre les divers professionnels de la santé, coopération entre ceux-ci et les gestionnaires, coopération entre les gestionnaires et les fonctionnaires d'État, coopération entre ces divers intervenants et la population qui, d'une part, a besoin de soins de qualité et qui, d'autre part, n'exigera plus l'impossible car elle participera aussi à la gestion de Santé-Québec.

Le patient à la tête du système

Nous l'avons souligné : des directeurs d'hôpitaux réclament déjà la présence d'hommes d'affaires aguerris au conseil d'administration de leurs institutions. La santé n'est pas qu'une question d'affaires ou de finances, mais le fossé qu'on a voulu creuser au fil des années entre la santé et les affaires se doit aujourd'hui d'être comblé. Les pelletés de terre destinées à combler ce fossé doivent venir des deux pôles. Le système de santé aura avantage à cultiver plus à fond une culture d'entreprise, et le monde des affaires devra renforcer sa fibre communautaire afin que ces deux entités puissent être en mesure de travailler ensemble efficacement. C'est pourquoi, tant au conseil d'administration qu'aux diverses directions, on devra retrouver obligatoirement des gens du public et des gens du monde des affaires.

Le fonctionnement de Santé-Québec

Contrairement au mode de fonctionnement actuel, Santé-Québec sera avant tout géré régionalement. L'ère du *tout le monde pareil* connaîtra sa fin. Plutôt qu'un ministre établisse ce qui est bon pour les régions et que celles-ci appliquent les politiques édictées, chaque région disposera d'un budget qu'elle sera tout à fait libre d'opérer. Parce qu'il faut l'admettre, les besoins sont bien différents entre les grandes villes, les régions et, ne l'oublions pas, entre les diverses régions elles-mêmes.

Un peu sur le modèle que s'apprête à appliquer le gouvernement du Royaume-Uni, nous devrons éliminer des intermédiaires et maintenir aux plus bas coûts les frais administratifs. Chaque région étant autonome et imputable, la place occupée par la gestion des services s'estompera rapidement au profit de la distribution des soins. C'est un peu comme gérer une entreprise. Un certain pourcentage, habituellement le plus bas possible, est affecté à la gestion, le reste l'est à la production et à la distribution, là où l'entreprise peut augmenter ses performances et ses bénéfices. Avec Santé-Québec, chaque région administrera ses services selon ce principe fondamental qui est de répondre aux besoins de sa population. Ainsi rapproché du citoyen, Santé-Québec sera en mesure de fournir des services avec un minimum de structures administratives et un maximum d'efficacité.

Une première tâche:
définir des choix de société

La présence du public au conseil d'administration et aux autres directions de l'hôpital permettra de définir des choix de société clairs et transparents. Présentement, le manque de leadership fait en sorte que beaucoup de services sont accordés ou refusés sans qu'aucune orientation n'ait été librement discutée. La politique a parfois ses raisons que la raison ignore.

Il nous semble évident que de bien meilleurs choix de société pourront être faits dans un organisme dépolitisé et géré en partie par la population concernée.

Conclusion

Février 2011,
L'écriture de ce livre avance, et les nouvelles
ne sont pas meilleures :

« Des plafonds pleins de moisissure, des tables d'examen en ruine, des locaux trop étroits qui ne répondent plus aux normes actuelles... Des vidéos mises en ligne dimanche soir exposent l'état de décrépitude avancé des urgences de l'hôpital LaSalle, qui datent de 1985. Les médecins, n'en pouvant plus d'attendre le financement du gouvernement, se lancent dans une vigoureuse campagne publicitaire virale[33]. »

À la fin du même article, on retrouve les stratégies du Ministère toujours aussi prometteuses :

33. Adrianne Lacoursière, « Plaidoyer des médecins pour la rénovation des urgences », *La Presse*, 15 février 2011, http ://www.cyberpresse. ca/actualites/quebec-canada/sante/201102/14/01-4370309-plai-doyer-des-medecins-pour-la-renovation-des-urgences.php ?utm_ca tegorieinterne=trafficdrivers&utm_contenuinterne=cyberpresse_ B4_manchettes_231_accueil_POS4, dernière consultation le 15 février 2011.

«Au cabinet du ministre de la Santé, Yves Bolduc, on assure que le projet de rénovation chemine selon les délais normaux. "On est à quelques semaines d'une annonce dans ce dossier", a dit l'attachée de presse de M. Bolduc, Karine Rivard.»

Nul besoin d'être un grand devin pour prédire qu'un sondage d'opinion démontrerait que pas grand-monde ne croit encore en de tels énoncés ministériels. La population est à ce point déçue de son système de santé qu'aucune protestation ne viendra pour contester ces promesses. Un peu comme si tous considéraient inutile de critiquer ces allégations qui, tout le monde en convient, ne représentent qu'une promesse de plus, et qui ne sera pas tenue. On entend ce que le ministre dit et, de guerre lasse, on passe à autre chose. À sa chronique à l'émission de Paul Arcan (98,5 FM : *Puisqu'il faut se lever*) du 15 février 2011, la docteure Christiane Laberge soulignait le fait que l'an dernier, le Conseil des médecins, des dentistes et des pharmaciens de l'hôpital (CMDP) avait donné sa démission en bloc, parce que toutes les recommandations et les pressions qu'il avait faites pour corriger cette situation dangereuse de la salle d'urgence étaient restées lettre morte. Pire encore, le Conseil n'a jamais été remplacé depuis, les professionnels de cet hôpital étant complètement démotivés par le laxisme des autorités de la santé[34].

---

34. http://www.985fm.ca/audioplayer.php?mp3=91646 dernière consultation le 15 février 2011.

L'attaché de presse du ministre nous dit encore aujourd'hui qu'une annonce sera faite dans ce dossier d'ici quelques semaines... Rares sont ceux qui se sont levés pour applaudir, et encore plus rares sont ceux qui y ont cru.

Même si l'annonce se faisait réellement, ne devinez-vous pas quel serait le résultat qu'obtiendraient les médecins de cet hôpital en produisant et faisant diffuser six vidéos qui montreraient à tous l'état pitoyable de leurs lieux de travail? Encore une gestion de crise par cataplasme. On ira puiser dans le fond consolidé de l'État les sommes nécessaires à la réfection de cette salle d'urgence si, bien sûr, entre-temps, l'échangeur Turcot tient encore debout.

Cette démotivation des troupes s'accompagne de guerres fratricides qui touchent les divers intervenants du milieu. Puisqu'il faut trouver un coupable, des spécialistes proclament du haut de leur tour que les omnipraticiens ne travaillent pas assez: de là les problèmes. D'autres diront qu'il y a trop de gestionnaires. Des infirmières deviennent des super-infirmières, des pharmaciens veulent prescrire des médicaments, des industries pharmaceutiques voudraient que leurs découvertes se retrouvent plus vite sur les listes de médicaments approuvés par l'État et que leurs brevets soient prolongés, des compagnies de fabrication de médicaments génériques demandent le contraire. Ajoutez à cela les récriminations des patients qui n'en peuvent plus d'attendre et vous vous retrouvez au cœur d'une situation qui semble inextricable.

Toute cette cacophonie, toutes ces plaintes et ces affrontements réussissent fort bien à masquer le fond du problème. Tant que les décisions de gestion en santé publique seront prises par des politiciens, fort peu d'améliorations sont à prévoir. Nous le répétons, nous avons eu des ministres de la Santé parmi les plus compétents qui soient. Des hommes et des femmes d'envergure, dotés de visions fort intéressantes et tout autant prometteuses, ont dirigé le Ministère au cours des trente dernières années sans pouvoir régler la situation. Tous les professionnels de la santé et les gestionnaires ont su s'organiser et se structurer en organisations hautement efficaces. Et pourtant, la population ne reçoit pas les services auxquels elle est en droit de s'attendre.

Le système réussit à survivre uniquement grâce à la bonne volonté des professionnels de la santé, des gestionnaires et des travailleurs qui y œuvrent. C'est là que l'on trouve les meilleures volontés du monde. Tout le monde s'accorde à le dire.

Dans les faits, d'ailleurs, bien des expériences le démontrent. Ainsi en fait foi cet article paru sur *Canoe.ca* par QMI, en date du 13 février 2011 :

« Obtenir un rendez-vous avec un médecin spécialiste cause de nombreux maux de tête aux Québécois en raison de l'engorgement du réseau de santé. Or, un CLSC situé à Beloeil, en Montérégie, pense avoir trouvé une solution simple et unique au Québec pour régler le problème.

«L'hôpital Honoré-Mercier de Saint-Hyacinthe couvre un immense territoire desservant 200 000 personnes.

«Auparavant, tous les patients devaient attendre à la clinique externe et aux urgences pour voir un médecin de famille ou un spécialiste. Désormais, une bonne partie de la population de la Vallée-du-Richelieu fuit l'hôpital et se rend au CLSC des Patriotes de Beloeil.

«Il est plutôt facile d'obtenir un rendez-vous avec l'un des 12 spécialistes au CLSC de Belœil. La clientèle se présente à l'accueil et n'attend que quelques minutes.

«Cette facilité d'accès aux services fait toute une différence dans la vie de René Tousignant. Ce résidant de Belœil n'a plus à parcourir les 30 kilomètres le séparant de l'hôpital. Il peut rencontrer son cardiologue près de chez lui et subir ses examens grâce à l'équipement acheté par la Fondation du CLSC.

«Selon le Dr Karl Blackburn, cardiologue au CLSC des Patriotes, les aînés bénéficient particulièrement de cette nouvelle stratégie. «L'avantage est beaucoup plus pour le patient, surtout qu'il y a une grosse population de patients âgés ici, à mobilité réduite», explique-t-il.

«Cette solution permet donc de désencombrer les urgences des hôpitaux, précise la docteure Diane Poirier, directrice des affaires médicales de la clinique.

Si on regarde la dernière année, on a eu environ 7 000 consultations. Les gens se présentent moins nombreux à l'hôpital, y séjournent moins de temps, consultent moins à la salle d'urgence, il y a moins d'encombrement.

«Un patient, Gilles Paiement, a confié n'avoir attendu que trois semaines avant d'obtenir un premier rendez-vous avec un oto-rhino-laryngologiste. Le délai d'attente était encore moindre pour son deuxième rendez-vous, soit environ deux semaines.»

À quoi attribue-t-on ce succès? Nous pouvons lire dans le même article:

«Le succès de cette unique façon de desservir la clientèle repose sur la complicité qui existe entre les omnipraticiens et les autres spécialistes, croit le Dr Jocelyn Lavigne, un pédiatre qui quitte l'hôpital pour le CLSC huit jours par mois.

«Ce qui m'est déjà arrivé, c'est de voir un jeune avec une condition dermatologique X, puis de dire aux parents: "Écoutez, là, le docteur Durand, qui est dermatologue, est à côté. Peut-être que je vais lui quêter une visite rapide. Je cogne à la porte, le petit va à la porte à côté. Alors, ça, ça se fait, là", raconte-t-il[35].»

Voilà qui contraste bien avec les discours que l'on entend de la bouche de certains spécialistes qui invectivent des omnipraticiens leur renvoyant la

---

35. http://fr.canoe.ca/infos/quebeccanada/archives/2011/02/20110213-231941.html dernière consultation le 15 février 2011.

balle. Tout ceci démontre bien qu'en décentralisant les décisions et qu'en permettant aux professionnels de se parler, bien des problèmes peuvent se régler.

Tel est précisément le principe moteur du nouveau système que Santé-Québec propose. Il s'agit d'asseoir à une même table des gens du public, des professionnels de la santé, des gestionnaires et des gens des industries médicales et pharmaceutiques pour élaborer un nouveau système de santé dépolitisé et décentralisé. Et cela, ça peut fonctionner.

Tous les projets et tous les rêves peuvent se révéler utopiques. Mais ils peuvent aussi, s'ils trouvent assez d'appuis, changer le cours des choses dans le cas qui nous occupe, et améliorer grandement notre système de santé. Et le tout est possible. Quand j'ai commencé à écrire ce livre, à l'automne 2010, l'ensemble du projet pouvait s'avérer fort théorique. Mais voilà qu'à la mi-janvier 2011, sa réalisation possible nous a été fournie par le Royaume-Uni qui entreprend sa plus grande réforme depuis la création de son système de santé. Son objectif est très proche de celui que nous poursuivons: retirer en grande partie la gestion du système des mains de l'État pour la confier à des organismes parapublics, régionaliser la gestion du système en confiant à ses intervenants un portefeuille de plus de 80% du budget de la santé. Le projet Santé-Québec est donc faisable. Sur le plan politique, le projet pourra être la solution aux divers problèmes de notre système actuel. Le prochain ministre de la Santé n'aura plus à se transformer en pompier pour aller éteindre chaque feu qui se déclare au jour le jour. En tant que ministre, il aura le rôle de surveiller que les obligations qui incomberont à Santé-Québec soient bien remplies et que les services soient bien assurés. Il aura aussi à prendre part aux orientations à court, moyen et long terme, qui seront élaborées par Santé-Québec. Il aura également le devoir de surveiller que les budgets consentis soient respectés. Jusqu'à aujourd'hui, nous avons eu des ministres de la Santé extrêmement compétents mais qui se sont tous brûlés à la tâche parce qu'en réalité, on ne leur demandait pas d'agir comme ministres, mais comme gestionnaires de crises.

En dépolitisant et en régionalisant, Santé-Québec permettra au système de sortir de ces crises qui, somme toute, sont la plupart du temps très prévisibles. Par exemple, le vieillissement de la population n'est pas un phénomène aléatoire. Il y a belle lurette qu'au Québec, nous savons que les personnes âgées occuperont une place de plus en plus importante dans notre démographie. Tout comme on sait que, dans quelques années, lorsque les baby-boomers atteindront ou dépasseront les 80 ans, une recrudescence sans précédent des différentes espèces de la maladie d'Alzheimer fera rage. Nous devrions déjà être en train de préparer les plans pour accueillir cette clientèle et leurs proches (ceux qu'on appelle les aidants naturels) qui auront besoin de nombreux services. Mais comment planifier l'avenir, lorsqu'on a peine à gérer le présent tellement il y a de problèmes à régler aujourd'hui?

Ce livre se veut un appel à tous.

Y répondrez-vous?

Épilogue

Une fois encore, quelqu'un propose des solutions pour régler les problèmes de notre système de santé. Faut-il s'attendre encore à une fin de non-recevoir ? Probablement.

Admettre qu'il y a problème

Pour tenter de régler un problème, il faut tout d'abord admettre qu'il y en a un. Pour plusieurs, c'est le déni total, et les formules pour le déclamer sont nombreuses : «Tout va bien», «On a le meilleur système au monde», «Il n'y a que quelques ajustements à faire». Depuis des dizaines d'années, on refuse de voir le système autrement. C'est de l'acharnement démagogique.

Un système qui permet de faire attendre ses patients durant des dizaines d'heures dans les urgences, des semaines et des mois pour obtenir un rendez-vous, un examen ou un traitement ne peut prétendre être le meilleur au monde.

Nous devons nous rendre compte que l'universalité, qu'il faut préserver à tout prix, n'est pas l'apanage exclusif des systèmes de santé canadien et québécois. On en fait, à tort, une valeur distincte de notre société. De nombreux pays européens respectent pourtant mieux que nous cette universalité avec plus de succès, d'efficacité et, souvent, à meilleur coût. Tout n'est évidemment pas parfait ailleurs, car il n'y a pas de système irréprochable et idéal.

Accepter de changer

Il existe un principe fondamental auquel nous devons obligatoirement adhérer : notre système de santé doit procurer à ses citoyens des soins de qualité, en temps opportun, à un prix abordable et ce, sans que jamais ceux qui n'en ont pas les moyens soient privés de ces soins à cause de leur incapacité financière.

C'est pourquoi notre système de santé a besoin non pas d'être réformé, mais bel et bien d'être transformé. Notre attitude devra être changée radicalement. Il ne s'agit plus de modifier certaines structures ou quelques règles. Il faut d'abord croire au fait qu'il existe des solutions et que celles-ci ne consistent surtout pas en corrections mineures à apporter au fil du temps.

On injecte chaque année des milliards de dollars supplémentaires avec peu d'améliorations tangibles. L'arrivée de la génération des baby-boomers dans l'utilisation du système de santé viendra empirer la situation, même si cette génération est mieux préparée et en meilleure santé. C'est bêtement une question de nombre.

L'inefficacité de notre système et ses temps d'attente nous coûte cher en termes de productivité, de perte de temps et de soins intérimaires indispensables. Notre prétendu avantage économique d'un système universel «gratuit» s'estompe. Et que dire des angoisses, des inquiétudes et des souffrances qui ne peuvent être chiffrées?

Passer à l'action

Il est grand-temps de passer à l'action pour transformer ce système et placer véritablement le patient là où il devrait être: à la tête de ce système construit pour ses besoins.

Hélas! Si nous faisons confiance aux mêmes solutions que dans le passé, nous obtiendrons les mêmes résultats.

Il est possible d'avoir un système de santé universel, abordable et efficace. D'autres pays l'ont fait. Nous le pouvons aussi.

Et surtout: il faut le faire maintenant.

C'est une urgence!

Robert Ouellet M.D.

Annexe

Un mode de gestion de notre système de santé à repenser

Prémisses

La présente se veut une contribution à la réflexion sur les problèmes que vit actuellement notre système de santé. Nous ne reviendrons pas sur les éléments du constat actuel que plusieurs intervenants ont soulevé ces dernières années et plus particulièrement ces derniers mois. Citons cependant certains paramètres qui nous permettront d'exposer la piste de solution qui suivra :

- Un système d'organisation de soins de santé nécessaire en 1970, précédé d'une assurance hospitalisation les années précédentes, mais qui a souffert de boulimie ces dernières années au point d'être difficilement gérable, alors que le fond du baril n'a pas encore été atteint ;
- Un coût de gestion s'approchant de 28 milliards à ce jour et pouvant atteindre les 40 milliards dans les prochains 10 ans, dépassant le budget

admissible d'une bonne gouvernance. Les coûts investis en santé le sont dans un gouffre sans fin, alors qu'il y aurait moyen que la gestion de la santé ainsi que le contrôle et le traitement des maladies deviennent un actif pour la société. Le gouvernement investit actuellement notre argent dans un récipient percé. Nous savons tous que cet argent investi provient de la poche de 70 % des citoyens québécois payeurs d'impôts et des employeurs;

- Des besoins exponentiels nécessaires aux conditions de vie toujours en permutation: amélioration de la qualité de vie et prolongation de cette même vie menant au vieillissement collectif de la population, émergence constante et nécessaire de nouvelles thérapies et de nouvelles technologies, mesures de préventions accrues et devenues prioritaires, respect de l'éthique en constant réaménagement, gestion des groupes d'intervention en fonction de leur qualité de vie et leur rémunération, nouvelle culture sociale en constant ajustement, etc.;

- Une organisation des soins de santé axés sur des préoccupations politiques loin des besoins identifiés par les intervenants et la population: soins axés sur des préoccupations financières comme base des balises gouvernementales, un ministre avec plein pouvoir pouvant être plus ou moins avisé, malgré la bonne volonté qui l'anime, mise en place de structures hétéroclites pas nécessairement axées sur des besoins ciblés ou régionaux, gouvernance à partir de création de comités dont les recommandations sont pour la plupart rangées au placard et oubliées, mains liées par les groupes d'intérêts et de pouvoir, manque de confiance et de crédibilité envers les dirigeants du réseau, auxquels le gouvernement impute la responsabilité des vicissitudes du système, émission de promesses de corrections appréhendées et inachevées, mode d'arbitrage permanent, incapacité de composer avec les soins donnés en entreprise privée qui deviennent la solution de rechange à l'accès aux soins. En fait, c'est une déconnection de la réalité vécue au quotidien par la population. De plus il faut avouer que la situation actuelle, frisant souvent l'incohérence, profite à des groupes d'intérêts qui sont favorables au statu quo ;

- La gratuité universelle n'existe plus actuellement. La notion de gratuité doit être modulée, attendu que les citoyens défraient les coûts par leurs contributions via les impôts, les taxes et les surtaxes. On parle même actuellement d'un ticket modérateur. Plusieurs citoyens défraient les examens diagnostiques et soins thérapeutiques en partie remboursés par les assurances privés ou non, de même pour les soins requis dans plusieurs secteurs de soins nécessaires à la santé, mais non reconnus dans le système (diététique, physiothérapie hors de l'hôpital, etc.). De surcroît, l'accès aux soins donnés par les professionnels hors régime prennent de plus en plus d'espace compte tenu de l'accessibilité réduite;

- Nécessité d'une politique d'accès aux soins, d'un mode de financement ajusté aux besoins réels, d'une participation active à la mise en place des mesures thérapeutiques et technologiques, d'une responsabilité partagée des gestionnaires du réseau.

Mise en place d'un office paragouvernemental des soins de santé

Il y a plus de 15 ans, nous avons proposé au Ministère et à certains dirigeants du système de santé la mise en place d'un organisme parapublic ou paragouvernemental conçu sur le modèle d'Hydro-Québec. Nous avions alors surnommé cet organisme: Hydro-Santé. Certains ont repris l'idée récemment, dont certains directeurs du Collège des médecins. Le gouvernement a fait la sourde oreille. Il l'a même rejeté du revers de la main sans en faire la moindre analyse, de peur de perdre l'hégémonie et le contrôle sur le système.

Pourtant cette proposition mérite qu'on s'y attarde, car elle permettrait, à notre avis, une refonte nécessaire du système, une contribution collective de mise en place de mesures plus démocratiques de gestion, une autonomie de gestion relevant de l'analyse de besoins ciblés et circonscrits, une participation au développement et à la mise en place des innovations thérapeutiques et technologiques par le biais d'une intégration financière et participative. Hydro-Québec n'est-elle pas une réussite en la matière ?

Voici certains paramètres essentiels d'un tel organisme :

- Office gouvernemental dont les balises et les orientations sont fixées par le gouvernement et assujetties au contrôle permanent des directives émises ;
- Conseil d'administration regroupant un nombre prescrit d'administrateurs et experts du domaine de la santé, de corporations professionnelles médicales paramédicales et autres, d'organismes sociaux, de citoyens et d'autres personnes représentatives des domaines financier, technologique et de la communication.... En fait, il faudrait un conseil comparable à celui existant actuellement dans les organismes semblables. Il revient au gouvernement de le définir et d'assurer un mécanisme de représentation efficace ;
- Direction générale et ses composantes assurant la gestion globale du réseau de la santé.

Son mandat :

- Dans un premier temps, revoir et faire l'analyse de l'organisation actuelle des soins de santé, identifier les besoins et les composantes du réseau, établir un mode de consultations des intervenants et de la population;

- Dans un deuxième temps, identifier le financement nécessaire pour permettre l'application des mesures assurant un mode de gestion intérimaire ou de transition. Il ne s'agit pas de tout bouleverser, car le mode actuel de gestion comprend une majorité d'éléments efficaces;
- Dans un troisième temps, amorcer des modifications susceptibles de répondre aux orientations et exigences qui seront exposées et retenues, et définir une vision selon les besoins des populations futures.

Cette gestion doit être basée sur des principes qui déterminent ce que doit être un système de santé assurant l'universalité, l'accessibilité et la gratuité des soins. La notion de gratuité reste à être repensée en fonction d'une gestion adaptée et cohérente que pourrait développer l'organisme gouvernemental non assujetti aux obligations politiques.

- La marge de manœuvre est donc élargie, mais aussi restrictive en fonction des cibles qui seront définies et de la participation des intervenants et citoyens. En contrepartie, l'office pourra développer des politiques permettant un financement plus ciblé et provenant d'une gestion de participation;
- L'organisme pourra négocier plus librement en regard de la loi canadienne des soins de santé et même y apporter sa contribution;

- L'organisme aura une marge de manœuvre accrue quant aux résultats de gestion, les intervenants devenant partenaires du réseau;
- L'organisme n'aura pas les mains liées lors de la mise en place de modalités concernant le recours aux organismes privés, qui deviendront participants à part entière de certains secteurs requis pour l'administration des soins;
- L'organisme pourra investir financièrement dans divers secteurs relatifs à la dispensation des soins (pharmaceutiques, technologies, information) et même être à l'origine de développements financièrement rentables. Le service des soins de santé doit devenir un apport positif pour le peuple québécois;
- L'organisme pourra établir des normes et promouvoir avec son partenaire, le gouvernement, l'élargissement au secteur de l'assurance;
- L'organisme pourra établir des normes d'accès aux soins en regard de certaines populations, de certaines régions ou secteurs ciblés. Le mur à mur devient de plus en plus difficile à gérer en regard de la pertinence et des coûts.

En conclusion, la présente proposition ne se veut pas le rejet de notre système de santé qui a été et qui doit demeurer un acquis indispensable pour notre société. Le gouvernement, les intervenants et les citoyens québécois ont investi des efforts considérables et productifs à la mise en place de l'assurance maladie. Cette proposition doit être vue comme un apport à un mode de gestion et d'organisation qui permettrait d'atteindre les objectifs initiaux, objectifs qui doivent demeurer les mêmes.

Alban Perrier, M.D.

Table des matières

CET OUVRAGE, COMPOSÉ EN TIMES NEW ROMAN 13,
A ÉTÉ ACHEVÉ D'IMPRIMER À CAP-SAINT-IGNACE,
SUR LES PRESSES DE MARQUIS IMPRIMEUR,
EN JANVIER DEUX MILLE DOUZE.